New Concept

CHINESE

总 监 制：许　琳

监　　制：马箭飞　　静　炜　　戚德祥

　　　　　夏建辉　　张彤辉　　刘　兵　　王锦红

顾　　问：[法] 白乐桑　　邓守信　　[日] 古川裕

　　　　　[美] 姚道中　　[英] 袁博平

审　　定：刘　珣

主　　编：崔永华

副 主 编：张　健

编　　者：王亚莉　　陈维昌　　唐琪佳　　刘艳芬　　唐娟华

英文翻译：孙玉婷

英文审定：余心乐　　[美] Andy Bauer

孔子学院总部/国家汉办
Confucius Institute Headquarters(Hanban)

"十二五"国家重点出版物出版规划项目

New Concept 4

CHINESE

新概念汉语

English Edition 英语版

Textbook 课本

北京语言大学出版社
BEIJING LANGUAGE AND CULTURE
UNIVERSITY PRESS

序言

　　当前，世界各国学习汉语和了解中华文化的热情持续高涨，对汉语教材的内容、形式和质量不断提出更高要求。为此，孔子学院总部加大教材工作力度，诚邀国内外出版机构、学者和教师参与教材编写，努力出版一批汉语教学和中华文化的精品教材与读物，构建国际汉语教学资源体系。

　　北京语言大学出版社编写了一套汉语教材——《新概念汉语》。这是针对成年学习者设计的，既可以用于课堂教学，又可以用于自学。教材充分考虑了非母语环境下学习汉语的特点，借鉴外国语言教学先进经验，注重语言文化有机结合，展现当代中国生活场景，强调实用性、趣味性和互动性，并配以多种形式的辅助资源，希望外国朋友们从中体验到更多学习汉语的轻松和快乐。

　　在编写过程中，孔子学院总部暨国家汉办给予了大力支持，并协助北语出版社多次征求并采纳了各国孔子学院一线教师和学习者的意见与建议。经过第一册试用，得到广泛好评。希望《新概念汉语》能成为最受欢迎的国际汉语教材之一，感谢北语出版社同仁们的勇敢探索和辛勤耕耘。

许　琳

孔子学院总部　总干事

中国国家汉办　主　任

Foreword

At present, there is an increasing enthusiasm worldwide for learning the Chinese language and acquainting with Chinese culture, resulting in a higher demand on the content, form and quality of Chinese teaching materials. To meet this demand, the Confucius Institute Headquarters has put more efforts into the development of teaching materials by inviting publishers, scholars and teachers in and outside of China to participate in the compilation and publication of an array of top-quality textbooks and reading materials for the teaching and learning of the Chinese language and culture, striving to build a system of resources for international Chinese education.

As one of the publishers invited, Beijing Language and Culture University Press has developed the textbook series New Concept Chinese, which is targeted at adult learners and can be used in classrooms or by self-taught learners. While taking into full account the characteristics of learning Chinese in a non-Chinese speaking environment, learning from advanced language teaching experiences overseas and paying attention to the dynamic combination of language and culture, the series unfolds the real-life scenes in modern China before its users' eyes, emphasizing the qualities of being practical, fun and interactive and it provides various forms of supportive resources to create a more relaxing and enjoyable Chinese learning experience for foreigners.

Hanban (Confucius Institute Headquarters) has provided much support for the compilation of the series and has more than once assisted Beijing Language and Culture University Press in consulting teachers and students at Confucius Institutes in different countries about their opinions and suggestions, many of which have been accepted and integrated. Book 1 has achieved a good reputation after its publication. We hope New Concept Chinese will rank among the most popular Chinese teaching materials for international users. Our sincere thanks go to our co-workers in Beijing Language and Culture University Press for their courageous explorations and hard work.

Xu Lin
Chief Executive of the Confucius Institute Headquarters
Director-General of Hanban

使用说明

《新概念汉语》是一套供成年人使用的汉语教材，可以用来自学，也可以在课堂教学中使用。

本教材基于汉语和汉语作为第二语言教学的实践和研究成果，学习、吸收国内外外语教学的有效方法和21世纪的教学理念和教学实践，选择实用、简要、有趣的教学内容，设计简便、有效的学习和教授方法，努力为不同类型的汉语学习者和教师提供方便。

本教材配有相应的教学资源，包括MP3光盘（包含课文、生词、练习录音）、练习册、汉字练习册、教师用书、教学图卡、数字资源（提供教学资源和咨询）等。

本书是《新概念汉语》第四册。为方便读者，特作如下说明。

一、教学对象、目标、内容和教学安排

教学对象：学过《新概念汉语》（第一、二、三册）或具有相应汉语水平（学过汉语基本语法、掌握1500左右汉语词汇）的成人汉语学习者。

教学目标：通过学习本教材，达到新HSK 4级水平，进一步培养汉语听、说、读、写能力，重点是培养初步的成段表达能力。能理解在一般社交场合或在工作、学习等场合遇到的表达清晰、内容熟悉的语言材料，能就熟悉的话题与他人进行交流，能描述自己的经历，表达自己的看法，给出简单的理由或解释。与《欧洲语言共同参考框架》的B2级外语运用水平大致相当。

教学内容：本册教材教授约600个汉语交际常用词、200多个汉字、40个语法项目，以及外国人使用汉语学习、生活、工作时最常见的话题。

教学安排：本册教材共20课，建议每课学习时间为4小时，课堂教学教授2小时，课外学习（包括复习和完成练习册中的作业）2小时。

二、课本内容

每课的学习内容由"课文"、"学习语法"、"学习词汇和汉字"、"交际活动"四部分组成。

（1）课文。课文都是适合学习者水平的短文，包括故事、趣闻、百科和中国文化知识等，目的是让学习者边理解故事、知识，边学习汉语词语、语法和相关的表达方法。

（2）学习语法。每课学习两个语法点。目的是让学习者在学习常用的、有交际价值的语句的同时，理解、记忆和学会使用所学语法、句式和常用词汇。

（3）学习词汇和汉字。这一部分通过多种活动帮助学习者复习、记忆和使用汉语常用词汇和汉字，特别是加深对汉语词汇和汉字构成方式的理解。如通过图示、分类，帮助学习者梳理学过的常用词汇；通过分析构词成分，理解汉语构词的规则；通过分析汉字部件，理解汉字的结构和造字方法；通过常用汉字表，帮助学习者掌握基本汉字等。

（4）交际活动。每课安排两种交际活动，供教师和学习者选用。一种是结伴或小组活动，目的是继续培养人际交际能力；一种是独白，目的是培养初步的成段表达能力。

三．教学策略建议

下面的教学过程和方法，供自学者和教师参考。

第一部分　学习课文

1. 热身（5分钟）

热身活动可采取下列方式之一进行：

（1）复习旧课，引出新课。

（2）看图片，根据图片提问，引出课文内容。

　　问题可以是：这是什么地方？有什么人？有什么东西？发生了什么事情？

（3）就课文题目进行讨论，也可以让学生预测课文的内容。

2. 快速阅读课文（5分钟）

（1）朗读读前问题。

（2）快速阅读，寻找答案。

　　提醒学生借助生词表和注释，阅读全文，画出与读前问题相关的语句，不要指读（用手指着字读）。

（3）尝试回答读前问题。

　　答案不必强求一律，可以留点儿悬念，在读懂课文后回答。

3. 学习生词（15分钟）

（1）听生词录音或听教师朗读生词。

（2）跟读（跟录音或教师朗读）。

（3）理解生词。

　　教师通过提问、领读搭配，启发学生理解词义，辅以必要的讲解。

（4）按顺序集体朗读生词。

（5）认读生词。

　　教师指定学生打乱生词顺序朗读，注意观察学生的掌握情况。

4. 听课文，回答问题（10分钟）

（1）朗读课文后面的问题。

（2）听全文（提醒学生不看课文）。

（3）回答问题。

（4）分段听课文，回答问题（老师提问，全班回答）。

（5）回答全部问题。

　　老师提问，单个学生回答，注意把重点放在学生有困难的问题上。

5. 朗读课文（10分钟）

（1）教师分段领读课文。

　　提醒学生注意课文中新的语法现象，并借助注释初步理解，可辅以必要的讲解。

（2）学生朗读课文。

（3）回答全部问题。

　　可以让学生提问，先全班回答，再请单个学生回答。

6. 复述课文（5分钟）

（1）根据提示复述课文。

（2）无提示复述课文（或可看英译文本复述）。

第二部分 综合练习

1. 学习语法（20分钟）

每课的两个语法点均可按以下步骤和方式学习：

（1）听全部例句1-2遍。

（2）学生逐句跟读例句，参考生词表理解句意。

（3）学习生词（参考第一部分"3. 学习生词"）

（4）做练习1。

注意引导学生按题目要求标出相关部分。

（5）启发学生归纳出句式的公式。

（6）做练习2。

学生先独立做，然后与同伴核对并修改，最后全班或学生面向全班说答案。

2. 学习词汇和汉字（15分钟）

（1）学生独立做各项练习。

（2）跟同伴核对。

（3）引导全班说出答案。

3. 交际活动（15分钟）

交际活动可在课堂上做，也可以在课下做，课上检查、汇报。

活动 1（小组活动）

（1）朗读指令，理解任务。

（2）教师和/或学生给出示例，启发说出相应的句式、词语。

（3）教师引导分组、分工。

（4）明确汇报要求。

（5）设定活动时限。

（6）小组活动。

（7）小组或小组代表向全班汇报。

（8）学生自我评价和教师评价。

活动 2（独白）

（1）朗读指令，理解任务。

（2）教师自己示例或引导学生示例。

可先启发学生说出相关的句式、词语。如通过连续的问题，告知学生叙述的内容和词语、句式、顺序等。

（3）设定话语长度和准备时限。

（4）提醒学生写下提示词语。

（5）学生准备。

（6）学生分组互相讲述，或由学生向全班汇报。

（7）学生自我评价和教师评价。

4. 归纳本课学习内容

此环节也可放在交际活动前进行。

（1）复述课文。

（2）让学生说出有用的句子，或用图片引导学生说出句子。

（3）让学生朗读生词表，或用图片引出词汇练习中的词语。

四、教学设计思想

本教材在教学过程设计中，力图贯彻以下基本原则：

（1）课堂以学生活动为主，全部过程都是在教师启发、指导下的学生活动。

（2）培养运用汉语进行听、说、读、写综合交际能力，其中"写"的活动主要在学生练习册中进行。

下面对相关部分的设计意图略作说明。

1. 热身

热身活动有三个目的：

（1）在让学生运用汉语描述图片、回答实际问题的过程中，给他们创造自由表达的机会，是"用中学"的重要手段。

（2）激活学生已经具备的相关知识和能力，为学习新内容作准备。

（3）营造生动活泼的学习气氛。

在这个阶段，要给学生创造充分的真实表达机会，"不怕错"很重要。

2. 学习课文

这一部分的教学安排主要基于以下三点考虑：

（1）总体过程是从全局到局部，再从局部到全局。学习从领会全文大意开始，为学习者创造在语境中学习课文的语句、语法、词汇的条件；然后在对局部（各段落）的细节（词汇、句意）理解的基础上，达到全面理解和掌握全文的内容。

（2）由易到难，逐步深入。学习从快速阅读开始，为后面的聆听理解打下基础；聆听后回答问题，逐步熟悉学习内容（文章的意思、语法和词汇）；在快读、聆听和领读的基础上，再朗读课文，为提高朗读质量打下坚实的基础，也使顺利地复述课文水到渠成。

（3）课文学习的目标是学生可以流利地复述课文。这表明他们理解了课文的内容，掌握了所学的语法、句式和词汇。

3. 学习语法

语法教学遵循意义和结构并重、意义优先的原则，学习过程贯穿对意义的关注。

（1）意义优先，是指语法学习的用例和练习，不是为显示语法规则而编造的人工语言，而是有意义、有意思、有交际价值、在交际中经常使用的语句。学习这些句子是为了提高交际能力，而不只是为了学习语法和词汇知识。

（2）语法部分的结构和词语学习过程，是在理解句子意思和学习使用句子交际的基础上，抽象出句子形式，通过思考，促进记忆，掌握使用方法。

（3）通过朗读、分析结构和练习，掌握和熟悉句子的结构形式，努力达到熟练使用的水平。

4. 学习词汇和汉字

词汇和汉字学习的主导思想是立足理解语义和语法结构，促进记忆，如：

（1）通过各种方式，帮助整理学过的词汇。

（2）通过图示，建立与词汇所指的联系；设置相关的应用练习，帮助掌握使用。

（3）通过分析词和汉字的结构，了解汉语构词、造字的基本规则。

在词汇和汉字学习中，有两点需要特别说明：① 由于要显示词汇、汉字的规律、规则，练习中使用的词汇、汉字常常跟课文中出现的字词不完全契合。这虽然不够理想，但也只能"顾此失彼"。② 练习没有严格区分"字"和"语素"的概念，比如说"这些汉字构成的词"，是从汉字运用的角度说的，但也有说明构词法的意思。

5. 交际活动

交际活动的目的，是把本课学习的词汇、语法、话题框架运用到实际交际之中。

两组交际活动都倡导小组活动的方式，在这种活动中，学习者不仅要说出正确的话语，更要学会运用语用规则、交际策略，以提高用汉语进行真实交际的能力。

A Guide to the Use of This Book

New Concept Chinese is a series of Chinese learning materials for adults, which can be used for both self-teaching and classroom teaching.

This series is written based on the practices and researches of Chinese language and teaching Chinese as a second language, assimilating the effective methods used in foreign language teaching both in China and abroad as well as the pedagogical ideas and practices of the 21st century. Practical, concise and interesting teaching materials were selected and simple and effective learning and teaching methods were designed so as to provide convenience for various types of students/learners and teachers of Chinese language.

Additional materials supporting the textbooks include the MP3 disks (with recordings of the texts, new words and exercises), Workbooks, Chinese Character Workbooks, Teacher's Books, Flashcards and Digital Resources (for reference and consultation), etc.

This is Textbook 4 in the series. For the convenience of users, the following points need to be made clear:

1. Targets, objectives, contents and arrangement of teaching

Targets: Adults who have learned *New Concept Chinese* (1, 2 & 3) or have achieved the corresponding Chinese proficiency (mastery of basic Chinese grammar and about 1,500 Chinese words).

Objectives: By learning this book, learners' Chinese proficiency will reach New HSK Level 4. Their listening, reading, speaking and writing skills will be further improved, and more importantly, they will begin to develop the ability to generate paragraphs. They will be able to understand familiar and explicitly expressed language materials that they encounter in their work, study or other common social occasions, to communicate with others on familiar topics, to describe their own experiences, to express their own opinions and to give simple reasons or explanations. The language proficiency they will achieve is approximately equivalent to Level B2 in the *Common European Framework of Reference for Languages*.

Contents: This book teaches about 600 words frequently used in communication, more than 200 Chinese characters and 40 grammar items as well as the topics that foreigners are more likely to encounter in their study, life and work.

Arrangement of teaching: This book consists of 20 lessons in total. It is suggested each lesson take 4 hours, 2 in class and 2 after (for reviewing the lesson and doing homework in the Workbook).

2. Contents of the book

Each lesson is composed of four sections, namely "Text", "Grammar", "Vocabulary and Chinese characters", and "Communicative activities".

(1) Text—Taking the learners' language proficiency into consideration, all the texts are short ones, including stories, anecdotes, encyclopedic essays and essays about Chinese culture. The aim is to enable learners to learn Chinese words, grammar and relevant ways of expression while understanding the stories and information.

(2) Grammar—Each lesson teaches two grammar points so that learners can not only learn a few sentences frequently used in communication, but also understand, memorize and learn to use the grammar points, sentence patterns and common words taught to them.

(3) Vocabulary and Chinese characters—This part employs various activities to help learners review, memorize and use common Chinese words and characters and more than others to deepen their understanding of the methods of

building Chinese words and characters. For instance, common words are sorted by illustrations and categorization; the constituents of Chinese words are analyzed to help learners understand the rules of Chinese word building and the components of Chinese characters are analyzed to help learners understand the structures of characters and the methods of building characters; a list of common Chinese characters is provided to help learners master the basic characters, etc.

(4) Communicative activities—Each lesson provides two communicative activities for teachers and students to choose from. One is a pair or group activity aiming to improve students' interpersonal skills, and the other is a monologue aiming to cultivate their ability to express in paragraphs.

3. Suggestions for strategies of teaching

Self-taught learners and teachers can refer to the following steps and methods:

Part 1 Text

a. Warm-up (5 min.)

A warm-up activity can be conducted in one of the following ways:

(1) Review the previous lesson and usher in the new lesson.

(2) Ask (a) question(s) based on the pictures to introduce the content of the text.

Possible questions: Where? Who? What is there? What happened?

(3) Have a discussion about the title of the text and ask students to guess the content of the text.

b. Fast reading (5 min.)

(1) Read out loud the question before the text.

(2) Go through the text fast and find the answer.

Remind the students to make good use of the word list and notes, to read the whole text, to underline the phrases and sentences relevant to the question, and not to point at each character when they read it.

(3) Try to answer the question before the text.

The answers can vary, leaving a cliffhanger which students will find out after understanding the text.

c. Learning new words (15 min.)

(1) Listen to the recording of the new words or to the teacher reading them.

(2) Repeat aloud (after the recording or the teacher).

(3) Understand the new words.

The teacher can inspire the students to understand the meaning of each word by asking questions, leading them to read aloud the collocations and if necessary, giving brief explanations.

(4) All the students read the new words together in order.

(5) Identify and read the new words.

The teacher changes the order of the new words and names a student to read them aloud. Pay attention to if the student has mastered the words.

d. Listen to the text and answer the questions. (10 min.)

(1) Read aloud the questions after the text.

(2) Listen to the whole text (without reading it).

(3) Answer the questions.

(4) Listen to the text paragraph by paragraph and answer the questions. (The teacher asks questions and the class answers them.)

(5) Answer all the questions.

The teacher names one student to answer his/her questions. The teacher should emphasize on the questions which the student finds difficult.

e. Read the text aloud. (10 min.)

(1) The teacher leads the students to read aloud the text paragraph by paragraph.

Remind the students to pay attention to the new grammatical phenomena in the text and to get a preliminary understanding of them with the aid of the notes. Give some explanations if necessary.

(2) The students read the text aloud.

(3) Answer all the questions.

 The students raise questions. For each question, the whole class answer it first, and then one student will be named to answer it again.

f. Retell the text. (5 min.)

(1) Retell the text based on the hints given.

(2) Retell the text without any hints (or based on the text in English).

Part 2 Comprehensive Exercises

a. Learning grammar (20 min.)

The two grammar points in each lesson can be learned following the steps and methods below:

(1) Listen to all the example sentences once or twice.

(2) The students read the example sentences one by one after the recording and learn about their meanings with the aid of the word list.

(3) Learn the new words (refer to "**c. Learn the new words**" in Part 1).

(4) Do Exercise 1.

 The students are supposed to mark the relevant parts as required under the guidance of the teacher.

(5) The teacher should inspire the students to summarize the formula of each sentence pattern.

(6) Do Exercise 2.

 Each student does it alone first, then they work in pairs to check and correct each other's answers, and finally the whole class say the answers or one student says the answers to the whole class.

b. Learning vocabulary and characters (15 min.)

(1) Each student does all the exercises on his/her own.

(2) The students work in pairs to check each other's answers.

(3) The whole class say the answers under the teacher's guidance.

c. Communicative activities (15 min.)

The communicative activities can be conducted either in class or after class in which case a report should be given in class for the teacher to check.

Activity 1 (Group work)

(1) Read the instruction aloud and learn about the task.

(2) The teacher and/or several students give an example to inspire others to say relevant sentence patterns and expressions.

(3) Team up and divide the work under the guidance of the teacher.

(4) Be clear about the requirements for the report.

(5) Set a time limit.

(6) Conduct the activity in groups.

(7) Each group or its representative makes a report to the whole class.

(8) The students make a self-evaluation or the teacher gives them an evaluation.

Activity 2 (Monologue)

(1) Read the instruction aloud and learn about the task.

(2) The teacher gives an example or a student gives one under the teacher's guidance.

 First the teacher may inspire the students to say relevant sentence patterns and expressions, for example, telling them the content to be narrated, the words and phrases, sentence patterns and order etc. by asking successive questions.

(3) Set a length for the monologue and a time limit for the preparation.

(4) Remind the students to write down the cue words.

(5) The students make preparations.

(6) The students present their monologues in groups or to the whole class.

(7) The students make a self-evaluation or the teacher gives them an evaluation.

d. Summarize the content learned in the specific lesson.

This step may also precede the communicative activities.

(1) Retell the text.

(2) Ask the students to say useful sentences or inspire them to say the sentences by showing them pictures.

(3) Ask the students to read the word list aloud or introduce the words and expressions in the vocabulary exercises using pictures.

4. Thoughts regarding teaching design

In the design of the teaching process, the book strives to observe the following basic principles:

(1) Classroom teaching is centered on student activities. The whole process is a series of student activities under the inspiration and guidance of the teacher.

(2) The aim of teaching is to improve students' Chinese language skills, including listening, speaking, reading and writing, as well as their communicative skills, of all the learning activities writing is basically done using students' workbooks.

The following is a brief explanation as to why the relevant parts are thus designed.

a. Warm-up

The warm-up activity has three purposes:

(1) To give students an opportunity to express themselves freely in the process of describing pictures and answering practical questions. It is an important method of "learning by using".

(2) To stimulate the knowledge and ability already acquired by the students and to get them ready for the new content.

(3) To create a lively and active environment for learning.

At this stage, enough opportunities need to be created for students to truly express themselves. It is important that students don't fear making mistakes.

b. Learning the text

The teaching of this part is arranged based on the three considerations as below:

(1) The overall process proceeds from the whole to the parts and then from the parts to the whole again. Students start with grasping the main idea of the text, which is a chance for them to learn the sentences, grammar points and new words in the text in context; then based on an understanding of the details (words and sentence meanings) in each part (paragraph), students will fully comprehend and master the content of the whole text.

(2) The difficulty and depth gradually increase. Students start with fast reading, preparing for the listening comprehension following it; then they answer the given questions after listening to the text and become more familiar with the content (the meaning of the text, the grammar points and the new words); after fast reading, listening and repeating after the teacher, students will read the text aloud once again, laying a solid foundation for the improvement in their quality of reading aloud and making themselves better prepared for retelling the text.

(3) The aim of text learning is to enable students to retell the text fluently, which means they've understood the content of the text, mastered the grammar points, sentence patterns and words taught.

c. Learning grammar

The teaching of grammar emphasizes both meaning and structure, with priority given to meaning. Throughout the learning process, attention is paid to meaning.

(1) The priority of meaning means that the examples and exercises for grammar learning are not artificial language fabricated to demonstrate the grammatical rules, but rather meaningful, interesting and practical sentences frequently used in communication. The aim of learning these sentences is to improve communicative abilities rather than just learning the grammar and vocabulary knowledge.

(2) The process of learning the structures and words in the grammar part is to abstract the sentential forms after understanding the meaning of the sentences and learning to use them in communication, to memorize them through thinking and to master the way of using them.

(3) By reading aloud, analyzing and doing exercises on the structures, students will get familiar with and master the sentence structures and strive to achieve proficiency in using them.

d. Learning vocabulary and Chinese characters

The dominant idea regarding the learning of Chinese words and characters is to enhance memorization based on the understanding of meaning and grammatical structure. For instance:

(1) Various means are adopted to help sort out the words that have been learned before.

(2) Illustrations are provided in certain exercises to build up a link with what the words signify; relevant practical exercises are designed to help students master and use the words.

(3) The structures of the words and characters are analyzed to explain the basic rules of building words and characters.

Two points are noteworthy in the learning of Chinese words and characters. Firstly, to show the patterns and rules behind them, the words and characters used in the exercises are often not exactly the same as those used in the text, which is not an ideal situation, but is a better choice for sure. Secondly, the two concepts "字" (character) and "语素" (morpheme) haven't been strictly differentiated in the exercises. Take the phrase "words with these characters" in the direction for example. Although viewing from the angle of the use of Chinese characters, it also implies the meaning of word-building.

e. Communicative activities

The aim of the communicative activities is to help students use the words, grammar points and topic framework learned in the lesson in real-life communication.

Group work is encouraged for both the communicative activities, which require students to say correct sentences and more importantly to use the pragmatic rules and communicative strategies in practice so that their ability to communicate in Chinese will be improved.

目录

Kǒngzǐ

孔子

Confucius

1 Text 课 文 借助生词表，快速浏览课文后回答问题：孔子有多少个学生？ 01-1

How many disciples did Confucius have? Skim through the text with the help of the list of new words and then answer the question.

Kǒngzǐ xìng Kǒng, míng Qiū, shì Zhōngguó zhùmíng de
孔子姓 孔，名丘，是 中国 著名的

sīxiǎngjiā、 jiàoyùjiā。 "Kǒngzǐ" shì rénmen duì tā
思想家、教育家。"孔子"是人们对他

de zūnchēng, "zǐ" de yìsi shì "yǒu xuéwen de rén".
的尊称，"子"的意思是"有学问的人"。

Kǒngzǐ shì Zhōngguó dì-yī wèi zài mínjiān kāibàn xuéxiào
孔子是 中国 第一位在民间开办学校

de rén. Tā yǒu sān qiān duō ge xuésheng, qízhōng zuì yǒu míng
的人。他有三 千 多个学生，其中 最有名

de yǒu qīshí'èr ge. Tā tíchūle "yǒu jiào wú lèi"
的有 72 个。他提出了"有教无类"

"wēn gù zhī xīn" děng jiàoyù sīxiǎng.
"温故知新"等教育思想。

Yóu Kǒngzǐ de xuésheng biānzuǎn de 《Lúnyǔ》
由孔子的 学生 编纂的《论语》

yì shū, jìzǎile Kǒngzǐ zhǔzhāng de Rújiā sīxiǎng.
一书，记载了孔子 主张的儒家思想。

Rújiā sīxiǎng duì Zhōngguó shèhuì fāzhǎn chǎnshēngle
儒家思想对 中国 社会发展产生了

shēnyuǎn de yǐngxiǎng.
深远 的影响。

Answer the questions

回答问题

Kǒngzǐ de míngzi shì shénme?
1. 孔子的名字是什么？

Kǒngzǐ shì shénme rén?
2. 孔子是 什么人？

Wèi shénme rénmen jiào tā "Kǒngzǐ"?
3. 为 什么人们叫他"孔子"？

Kǒngzǐ shì Zhōngguó dì-yī wèi shénme rén?
4. 孔子是 中国 第一位什么人？

Kǒngzǐ yǒu duōshao ge xuésheng?
5. 孔子 有 多少 个学生？

Kǒngzǐ tíchūle shénme jiàoyù sīxiǎng?
6. 孔子提出了什么教育思想？

《Lúnyǔ》 shì yóu shéi biānzuǎn de? Jìzǎile shénme?
7. 《论语》是由 谁 编纂的？记载了什么？

Rújiā sīxiǎng duì shénme chǎnshēngle yǐngxiǎng?
8. 儒家思想对什么 产生了 影响？

1. 名　míng　v.　to be named

2. 思想家　sīxiǎngjiā　n.　thinker, ideologist

　　思想　sīxiǎng　n.　thought, thinking

3. 教育家　jiàoyùjiā　n.　educator

　　教育　jiàoyù　n.　education

4. 尊称　zūnchēng　n.　respectful term of address

5. 学问　xuéwen　n.　learning, knowledge

6. 民间　mínjiān　n.　among or of the people, non-governmental

7. 开办　kāibàn　v.　to open, to set up, to start

8. 提出　tíchū　to propose, to put forward

9. 有教无类　yǒu jiào wú lèi　to provide education for all people regardless of their social classes

10. 温故知新　wēn gù zhī xīn　to gain new insights through reviewing old material

11. 由　yóu　prep.　by (sb.)

12. 编纂　biānzuǎn　v.　to compile

13. 记载　jìzǎi　v.　to put down in writing, to record

14. 主张　zhǔzhāng　v.　to hold, to advocate

15. 儒家思想　Rújiā sīxiǎng　Confucianism

16. 社会　shèhuì　n.　society

17. 发展　fāzhǎn　v.　to develop, to expand, to grow

18. 深远　shēnyuǎn　adj.　profound, far-reaching

Proper nouns 专有名词

1. 孔子　Kǒngzǐ　Confucius

2. 孔丘　Kǒng Qiū　Kong Qiu, the real name of Confucius

3. 《论语》《Lúnyǔ》 *The Analects of Confucius*, a book recording the words and deeds of Confucius and his disciples

4. 儒家　Rújiā　Confucian School, Confucianists

3 **Notes** 注释

1. 由孔子的学生编纂的《论语》一书，记载了孔子主张的儒家思想。

The preposition "由" indicates that the noun or pronoun following it is the agent of an action.

2. 儒家思想对中国社会发展产生了深远的影响。

The expression "X对Y产生影响" means X causes Y to change or that X has an effect on Y.

4 **Text** 复述课文
retelling

孔子姓……，名……，是中国著名的……。"孔子"是人们……，"子"的意思是……。
孔子是中国第一位……。他有……，其中……。他提出了……等教育思想。
由……编纂的……一书，记载了……。儒家思想对……的影响。

5 **Text** 译文
in English

　　Confucius (Kongzi or Kong Qiu, 551 B.C.–479 B.C.) was an eminent Chinese thinker and educator. Kongzi, literally Master Kong, is the respectful way of addressing him, in which *zi* means "a learned man".

　　Confucius was the first person in the Chinese history that started a private school. He had more than 3,000 disciples, 72 of whom were especially famous. He was the one who proposed such educational ideas as "Provide education for all people without discrimination" and "Gain new insights through reviewing old material".

　　The Analects of Confucius, a book compiled by Confucius' disciples, keeps a record of Confucianism, which has had a profound influence on the development of the Chinese society.

（一）由 01-3

1. 朗读下列句子，画出"由"后面的名词短语或代词。 Read the sentences aloud and underline the nouns (phrases) or pronouns after "由".

Yóu Kǒngzǐ de xuésheng biānzuǎn de 《Lúnyǔ》yì
（1）由 孔子的 学生 编纂的《论语》一

shū, jìzǎile Kǒngzǐ zhǔzhāng de Rújiā sīxiǎng.
书，记载了孔子 主张 的儒家思想。

Èr líng líng bā nián de Àoyùnhuì shì yóu Běijīng
（2）2008 年的奥运会是 由北京

jǔbàn de.
举办的。

Xiànzài de hěn duō jíbìng dōu shì yóu huánjìng wèntí
（3）现在的很多疾病都是 由 环境问题

yǐnqǐ de.
引起的。

Wǎngzhàn de wèntí yóu tāmen lái jiějué, nǐ
（4）网站 的问题由他们来解决，你

jiù fàng xīn ba.
就放心吧。

Wǒ de hūnyīn yóu wǒ zìjǐ zuò zhǔ.
（5）我的婚姻 由我自己做主。

2. 把"由"放入句中正确的位置，然后朗读。 Put "由" in the right positions and then read the sentences aloud.

Lǎo Lǐ de bìng shì gǎnmào yǐnqǐ de.
（1）老李的病 a 是 b 感冒 c 引起的。

Zhè zhāng huàr shì yí wèi niánqīng huàjiā
（2）这 张画儿是 a 一位 b 年轻 画家

huà de.
c 画的。

Zhège rènwu shì Xiǎo Zhāng lái
（3）这个 任务 是 a 小 张 b 来 c

wánchéng de.
完成 的。

Zhōngguórén chángcháng shuō, jīntiān de
（4）中国人 常常 说， a 今天的

wǎnfàn wǒ mǎidān.
晚饭 b 我 c 买单。

Nǚ'ér zǒngshì shuō: " wǒ de shìqing wǒ
（5）女儿总是 说："a 我的事情 b 我

zìjǐ juédìng."
自己 c 决定。"

（二）X对Y产生影响 01-4

1. 朗读下列句子，画出X和Y。 Read the sentences aloud and underline the parts X and Y.

Rújiā sīxiǎng duì Zhōngguó shèhuì fāzhǎn chǎnshēngle shēnyuǎn de yǐngxiǎng.
（1）儒家思想 对 中国 社会发展 产生了 深远的 影响。
　　　　X　　　　　　Y

Wǎngluò duì rénmen de shēnghuó fāngshì chǎnshēngle hěn dà yǐngxiǎng.
（2）网络 对人们的 生活 方式 产生了 很大 影响。

Jiātíng huánjìng duì tā de xìnggé chǎnshēngle hěn dà yǐngxiǎng.
（3）家庭 环境 对他的性格 产生了 很大 影响。

Wénhuà jiāoliú duì liǎng ge guójiā de guānxi chǎnshēngle jījí yǐngxiǎng.
（4）文化 交流对两个国家的关系 产生了积极 影响。

Tā zuìjìn gǎnjué hěn yùmèn, zhè duì tā de gōngzuò chǎnshēngle hěn dà yǐngxiǎng.
（5）他最近感觉很郁闷，这对他的 工作 产生了 很大 影响。

2. 根据图片，用"X对Y产生影响"完成句子，然后朗读。 Complete the sentences using "X对Y产生影响" based on the pictures and then read the sentences aloud.

Xué Hànyǔ duì Běnjiémíng de shēnghuó chǎnshēngle hěn dà yǐngxiǎng.
（1）学 汉语对本杰明的 生活 产生了 很大 影响。

Bù hǎo de shēnghuó xíguàn huì
（2）不好的 生活 习惯会_____。

Dàxuě tiānqì
（3）大雪天气_____。

Bù tóng de yánsè huì
（4）不同的 颜色会_____？

Shǒujī
（5）手机_____。

1. 举办 jǔbàn v. to hold (a meeting, event, etc.)		6. 交流 jiāoliú v. to communicate, to exchange	
2. 疾病 jíbìng n. illness, disease		7. 积极 jījí adj. positive	
3. 网站 wǎngzhàn n. website		8. 感觉 gǎnjué v. to feel	
4. 做主 zuò zhǔ v. to decide, to have the final say		9. 郁闷 yùmèn adj. depressed, down	
5. 方式 fāngshì n. way, means, method			

Proper noun 专有名词

奥运会 Àoyùnhuì Olympic Games

7 Vocabulary and Chinese characters 学习词汇和汉字

1. 朗读下列词语，然后为它们选择相应的图片。Read the words aloud and then put them beside the right pictures.

huàjiā
a. 画家
zuòjiā
b. 作家
wénxuéjiā
c. 文学家
shūfǎjiā
d. 书法家
jiàoyùjiā
e. 教育家

kēxuéjiā
f. 科学家
yīnyuèjiā
g. 音乐家
yìshùjiā
h. 艺术家
sīxiǎngjiā
i. 思想家

2. 说说你知道的名人，他们都是什么"家"。Describe the celebrities you know using "家".

3. 朗读下列词语，想想每组有什么共同点。Read the words aloud and think about the similarity between each pair or group of them.

kùzi   qúnzi
（1）裤子   裙子
kuàizi   shànzi
（2）筷子   扇子
bāozi   jiǎozi
（3）包子   饺子

dùzi   sǎngzi
（4）肚子   嗓子
háizi   xiǎohuǒzi
（5）孩子   小伙子
Kǒngzǐ   Lǎozǐ   Sūnzǐ
（6）孔子   老子   孙子

Notes

老子 Lao-Tzu, father of Taoism

孙子 Sun-Tzu, an ancient Chinese strategist and philosopher

8 Communicative activities 交际活动

1. 跟同伴编一段介绍孔子的对话。（8－10句）Work in pairs and make up a conversation about Confucius in 8－10 sentences.

2. 介绍你们国家一个著名的历史人物。Introduce a famous historical figure in your country.

Shǒujī duǎnxìn
手机短信
SMS

1 Text 课 文 借助生词表，快速浏览课文后回答问题：手机短信能做什么？ 02-1

What can we do via SMS? Skim through the text with the help of the list of new words and then answer the question.

Jù tǒngjì, zài Zhōngguó, rénmen píngjūn měi tiān
据统计，在 中国，人们 平均 每天

fāsòng sān yì duō tiáo shǒujī duǎnxìn.
发送 3亿多 条手机 短信。

Shǒujī duǎnxìn yǒu hěn duō gōngnéng, bǐrú yìxiē
手机短信 有很多 功能，比如 一些

dāngmiàn bù fāngbiàn shuō de huà, kěyǐ tōngguò duǎnxìn
当面 不方便 说的话，可以通过 短信

lái shuō; dānxīn biéren bù fāngbiàn jiē diànhuà, kěyǐ
来说；担心别人不方便接电话，可以

tōngguò duǎnxìn gàosu duìfāng; jiérì li, rénmen kěyǐ
通过 短信告诉对方；节日里，人们可以

tōngguò duǎnxìn biǎodá wènhòu; lìngwài, rénmen
通过 短信表达问候；另外，人们

hái chángcháng tōngguò hùxiāng zhuǎnfā yōumò duǎnxìn,
还 常常 通过互相 转发幽默短信，

fēnxiǎng kuàilè.
分享 快乐。

Zài Zhōngguó, shǒujī duǎnxìn yuèláiyuè chéngwéi
在 中国，手机短信越来越成为

rénmen shēnghuó zhōng zhòngyào de yí bùfen.
人们 生活 中 重要的一部分。

Answer the questions

回答问题

Zhōngguórén píngjūn měi tiān fā duōshao tiáo duǎnxìn?
1. 中国人 平均 每天发多少 条 短信？

Shǒujī duǎnxìn de gōngnéng duō ma?
2. 手机 短信的 功能 多吗？

Rúguǒ yǒuxiē huà dāngmiàn bù fāngbiàn shuō, kěyǐ
3. 如果 有些话 当面 不方便 说，可以

zěnme bàn?
怎么办？

Rúguǒ dānxīn biéren bù fāngbiàn jiē diànhuà, kěyǐ
4. 如果担心别人不方便接电话，可以

zěnme bàn?
怎么办？

Jiérì li, rénmen fā duǎnxìn zuò shénme?
5. 节日里，人们发短信 做什么？

Lìngwài, rénmen hái kěyǐ fā duǎnxìn zuò shénme?
6. 另外，人们还可以 发短信 做什么？

Duǎnxìn duì Zhōngguórén zhòngyào ma?
7. 短信 对 中国人 重要 吗？

1. 据	jù	prep.	according to	10. 对方	duìfāng	n.	the other party
2. 统计	tǒngjì	n.	statistics	11. 表达	biǎodá	v.	to express, to show
3. 发送	fāsòng	v.	to send, to dispatch	12. 问候	wènhòu	v.	to extend greetings, to send regards
4. 功能	gōngnéng	n.	function	13. 互相	hùxiāng	adv.	mutually, each other
5. 比如	bǐrú	v.	for example, such as	14. 转发	zhuǎnfā	v.	to forward (information, etc.)
6. 当面	dāngmiàn	adv.	face to face, to sb.'s face	15. 分享	fēnxiǎng	v.	to share
7. 通过	tōngguò	prep.	by means of, via	16. 越来越	yuèláiyuè		more and more, increasingly
8. 担心	dānxīn	v.	to worry, to fear	17. 成为	chéngwéi	v.	to become
9. 别人	biéren	pron.	other people	18. 部分	bùfen	n.	part

Notes 注 释

1. 比如一些当面不方便说的话，可以通过短信来说

The preposition "通过" indicates that the noun or pronoun following it is the means or method to achieve a purpose.

2. 手机短信越来越成为人们生活中重要的一部分。

The expression "越来越" indicates the situation develops as time goes by, more and more so in the indicated way.

Text 复述课文
retelling

　　据统计，在中国，人们平均每天……。

　　手机短信……，比如一些……，可以……来说；担心别人……，可以通过……；节日里，人们……；另外，人们还……，分享快乐。

　　在中国，手机短信越来越……一部分。

Text 译 文
in English

Statistics show that an average of over 300 million SMS messages are sent each day in China.

SMS has many functions. Via SMS, people can say things they feel embarrassed to say face to face, send messages for fear of calling at inconvenient times, exchange greetings during festivals and forward funny messages to amuse each other.

In China, SMS is playing an increasingly important role in people's everyday life.

（一）通过 02-3

1. 朗读下列句子，画出句子的主语。 Read the sentences aloud and underline the subject of each sentence.

Jiérì li, rénmen kěyǐ tōngguò duǎnxìn biǎodá wènhòu.
（1）节日里，人们可以通过 短信 表达 问候。

Jīnhòu wǒmen kěyǐ tōngguò diànzǐ yóujiàn liánxì.
（2）今后我们可以通过 电子邮件联系。

Tōngguò diàochá, zhèngfǔ zhōngyú liǎojiěle zhè jiā gōngsī
（3）通过 调查，政府 终于了解了这家公司

dǎobì de yuányīn.
倒闭的原因。

Tōngguò duō cì tǎolùn, dàjiā zhōngyú jiějuéle
（4）通过 多次讨论，大家 终于解决了

zhège wèntí.
这个问题。

Xiànzài rénmen kěyǐ tōngguò hùliánwǎng huòdé
（5）现在 人们可以通过 互联网 获得

hěn duō xìnxī.
很多信息。

2. 连线成句，然后朗读。 Draw lines to make sentences and then read the sentences aloud.

tōngguò kàn Zhōngwén diànyǐng
（1）通过 看 中文 电影

tōngguò péngyou jièshào
（2）通过 朋友 介绍

tōngguò cǎifǎng
（3）通过 采访

tōngguò zìjǐ de nǔlì
（4）通过自己的努力

tōngguò yánjiū, rénmen fāxiàn
（5）通过 研究，人们发现

wǒ duì nà wèi zuòjiā yǒule gèng duō de liǎojiě
我对那位作家有了更多的了解

qìchē de yánsè hé ānquán guānxi hěn dà
汽车的颜色和安全关系很大

tā zhōngyú zhǎodàole lǐxiǎng de gōngzuò
他终于找到了理想的工作

Dàwèi de tīnglì tígāo de hěn kuài
大卫的听力提高得很快

wǒ rènshile xiànzài de nǚpéngyou
我认识了现在的女朋友

（二）越来越 02-4

1. 朗读下列句子，画出"越来越"后面的形容词或动词。 Read the sentences aloud and underline the adjectives or verbs after "越来越".

Zài Zhōngguó, shǒujī duǎnxìn yuèláiyuè chéngwéi rénmen shēnghuó zhōng zhòngyào de yí bùfen.
（1）在 中国，手机短信越来越 <u>成为</u> 人们 生活 中 重要 的一部分。
v.

Xiǎomíng zhǎng de yuèláiyuè gāo, rén yě yuèláiyuè shuài le.
（2）小明 长 得越来越高，人也越来越 帅 了。

Chéngshì li de qìchē yuèláiyuè duō, chéngshì jiāotōng yě yuèláiyuè yōngjǐ le.
（3）城市 里的汽车越来越多，城市 交通 也越来越拥挤了。

Wǒ fāxiàn, wǒ yuèláiyuè bù liǎojiě tā le.
（4）我发现，我越来越不了解他了。

Zuìjìn jīngjì bù jǐngqì, gōngsī jīngyíng yuèláiyuè kùnnan.
（5）最近经济不景气，公司 经营 越来越困难。

2. 根据图片，用"越来越"完成句子，然后朗读。 Complete the sentences using "越来越" based on the pictures and then read the sentences aloud.

Mèimei zhǎng de yuèláiyuè piàoliang le.
（1）妹妹 长 得 ___越来越 漂亮 了___。

Běnjiémíng
（2）本杰明 _____。

Shìjiè de rénkǒu shìjiè biàn de xiǎo le.
（3）世界的人口_____，世界变得_____小了。

Dàwèi yǐqián bú ài chī jiǎozi, xiànzài què
（4）大卫以前不爱吃饺子，现在却_____

Gōngsī de shì tā yuèláiyuè máng.
（5）公司 的事_____，她越来越 忙。

Supplementary new words 扩展生词 02-5

1. 今后	jīnhòu	n.	from now on, as of today
2. 联系	liánxì	v.	to contact, to connect
3. 政府	zhèngfǔ	n.	government
4. 互联网	hùliánwǎng	n.	Internet
5. 获得	huòdé	v.	to get, to obtain
6. 信息	xìnxī	n.	information
7. 拥挤	yōngjǐ	adj.	crowded
8. 经济	jīngjì	n.	economy
9. 不景气	bù jǐngqì		depressed, slack
10. 经营	jīngyíng	v.	to run, to manage
11. 困难	kùnnan	adj.	difficult

7 Vocabulary and Chinese characters 学习词汇和汉字

1. 朗读下列词语，然后把它们填到图中相应的位置。Read the words aloud and then put them beside the right pictures.

a. 马路 (mǎlù)　b. 路口 (lùkǒu)　c. 咖啡馆儿 (kāfēiguǎnr)　d. 火车站 (huǒchēzhàn)　e. 地铁站 (dìtiězhàn)　f. 花园 (huāyuán)

g. 公园 (gōngyuán)　h. 饭馆儿 (fànguǎnr)　i. 集市 (jíshì)　j. 工厂 (gōngchǎng)　k. 茶馆儿 (cháguǎnr) (teahouse)

2. 根据上面的图进行描述。Describe the locations based on the pictures above.

Example：（1）咖啡馆儿在花园旁边。(Kāfēiguǎnr zài huāyuán pángbiān.)　（2）第一个路口左拐，地铁站在马路左边。(Dì-yī ge lùkǒu zuǒguǎi, dìtiězhàn zài mǎlù zuǒbian.)

3. 朗读下列词语，然后根据"面"的意思给词语分类。Read the words aloud and then group them based on the meanings of "面".

a. 前面 (qiánmiàn)　b. 表面 (biǎomiàn)　c. 见面 (jiàn miàn)　d. 面包 (miànbāo)　e. 面积 (miànjī)

f. 面条儿 (miàntiáor)　g. 当面 (dāngmiàn)　h. 后面 (hòumiàn)　i. 炸酱面 (zhájiàngmiàn)　j. 外面 (wàimiàn)

（1）前面 _____ _____　（3）见面 _____ _____

（2）表面 _____ _____　（4）面包 _____ _____

8 Communicative activities 交际活动

1. 三四人一组，每人写一条中文短信发给另外一个人，然后跟大家说说写了什么。Work in groups of three or four. Everybody composes an SMS message in Chinese and sends it to another person in the group. Then talk about what you've written in the message.

2. 说说你一般用手机做什么，你希望手机还能做什么。What do you usually use your cellphone for? What else do you want to do with a cellphone?

9

Kōng máchē

空马车

An empty carriage

1 Text 课文 借助生词表，快速浏览课文后回答问题：黑格尔跟父亲讨论什么问题？ 03-1

What did Hegel and his father talk about? Skim through the text with the help of the list of new words and then answer the question.

Yì tiān, yángguāng míngmèi, niánqīng de Hēigé'ěr
一天，阳光 明媚，年轻的黑格尔

péi fùqīn zài shùlín zhōng yōuxián de sàn bù.
陪父亲在树林中 悠闲地散步。

Zǒudào yí ge yōujìng de dìfang, fùqīn wèn tā:
走到一个幽静的地方，父亲问他：

"Chúle xiǎo niǎo de jiàoshēng yǐwài, nǐ hái tīngdàole
"除了小鸟的 叫声以外，你还听到了

shénme?"
什么？"

Hēigé'ěr shuō: "Wǒ tīngdàole máchē de shēngyīn."
黑格尔说："我听到了马车的声音。"

Fùqīn shuō: "Duì, shì yí liàng kōng máchē."
父亲说："对，是一辆 空马车。"

Hēigé'ěr tīngle hěn jīngyà, tā wèn: "Nín
黑格尔听了很惊讶，他问："您

méi kàndào, zěnme zhīdao shì kōng máchē ne?"
没看到，怎么知道是空马车呢？"

Fùqīn shuō: "Cóng shēngyīn jiù néng fēnbiàn chūlai,
父亲说："从 声音就能分辨出来，

máchē yuè kōng, zàoshēng jiù yuè dà."
马车越空，噪声就越大。"

Answer the questions

回答问题

Hēigé'ěr hé fùqīn zài nǎr sàn bù?
1. 黑格尔和父亲在哪儿散步？

Fùqīn wèn Hēigé'ěr shénme?
2. 父亲问黑格尔什么？

Hēigé'ěr tīngdàole shénme?
3. 黑格尔听到了什么？

Fùqīn shuō shénme?
4. 父亲说 什么？

Hēigé'ěr wèi shénme gǎndào hěn qíguài?
5. 黑格尔为 什么感到很奇怪？

Fùqīn zěnme zhīdao shì kōng máchē?
6. 父亲怎么知道是空马车？

Nǐ zěnme lǐjiě "máchē yuè kōng, zàoshēng jiù yuè dà"?
7. 你怎么理解"马车越空，噪声就越大"？

1. 阳光明媚　yángguāng míngmèi　sunny, full of sunshine
   - 阳光　yángguāng　n.　sunshine
   - 明媚　míngmèi　adj.　bright and beautiful
2. 陪　péi　v.　to keep sb. company
3. 父亲　fùqīn　n.　father
4. 树林　shùlín　n.　woods
5. 悠闲　yōuxián　adj.　leisurely
6. 散步　sàn bù　v.　to take a walk
7. 幽静　yōujìng　adj.　quiet, tranquil

8. 除了……以外　chúle……yǐwài　besides, in addition to
9. 鸟　niǎo　n.　bird
10. 叫声　jiàoshēng　n.　sound of an animal
11. 马车　mǎchē　n.　carriage, wagon
12. 空　kōng　adj.　empty
13. 惊讶　jīngyà　adj.　surprised, amazed
14. 分辨　fēnbiàn　v.　to distinguish, to differentiate
15. 越……越……　yuè……yuè……　the more...the more...
16. 噪声　zàoshēng　n.　noise

Proper noun 专有名词

黑格尔　Hēigé'ěr　Hegel, a German philosopher

Notes 注 释

1. 除了小鸟的叫声以外，你还听到了什么？

   The structure "除了X以外，还Y" indicates that X and Y are both included and that Y is a supplement to X. We can also say "除了X，还Y".

2. 马车越空，噪声就越大。

   The structure "越X越Y" indicates Y changes with X. X and Y can share one subject, as in "雨越下越大", or have different subjects, as in "马车越空，噪声就越大".

Text 复述课文
retelling

一天，……，年轻的……陪父亲……。

走到一个……，父亲问他："除了……，你还……？"

黑格尔说："我听到了……。"

父亲说："对，是……。"

黑格尔听了……，他问："您……，怎么……呢？"

父亲说："从……就能……，马车……，噪声就……。"

Text 译 文
in English

It was a sunny day. The young Hegel was accompanying his father on a leisurely walk in the woods.
When they got to a tranquil spot, his father asked him: "Besides the chirping birds, what else do you hear?"
"I hear a carriage," Hegel answered.
"Yes, an empty carriage," said his father.
Hegel felt surprised: "You didn't even see it. How do you know it's empty?"
"I can tell from its sound. The emptier a carriage is, the louder the noise it makes will be," said the father.

（一）除了X以外，还Y 　03-3

1. **朗读下列句子，画出X和Y。** Read the sentences aloud and underline the parts X and Y.

Chúle xiǎo niǎo de jiàoshēng yǐwài, nǐ hái tīngdàole shénme?
（1）除了 小鸟的叫声 以外，你还 听到了什么？
　　　　　　X　　　　　　　　　　Y

Chúle xǐhuan yóuyǒng yǐwài, wǒ hái xǐhuan dǎ wǎngqiú.
（2）除了喜欢 游泳 以外，我还喜欢 打网球。

Tā chúle zuòguo fúwùyuán yǐwài, hái zuòguo shòuhuòyuán.
（3）她除了做过 服务员 以外，还做过 售货员。

Zhè jiā gōngchǎng, chúle shēngchǎn xǐyījī
（4）这家 工厂，除了 生产 洗衣机
yǐwài, hái shēngchǎn bīngxiāng.
以外，还 生产 冰箱。

Guò Zhōngqiū Jié de shíhou, Zhōngguórén chúle
（5）过 中秋节的时候，中国人 除了
chī yuèbing yǐwài, hái yào shǎng yuè.
吃月饼以外，还要 赏月。

2. **根据提示词语，用"除了……还……"描述图片。** Describe the pictures using the cue words given and "除了……还……".

Ānni chúle huì shuō Fǎyǔ yǐwài, hái huì shuō Déyǔ. shuō Fǎyǔ Déyǔ
（1）安妮_____除了会说法语以外，还会说德语_____。（说 法语 德语）

Zhè cì lǚyóu, tā qù Shànghǎi Hángzhōu
（2）这次旅游，他_____，_____。（去 上海 杭州）

Zhè cì shēngbìng, tā hái sǎngzi fāyán tóuténg
（3）这次 生病，她_____，还_____。（嗓子发炎 头疼）

Zhōumò tā dǎsǎo fángjiān xǐchē
（4）周末 他_____，_____。（打扫房间 洗车）

Tā hái shì gēxīng dàxué jiàoshòu
（5）他_____，还_____。（是 歌星 大学教授）

（二）越X越Y 　03-4

1. **朗读下列句子，画出句子的主语。** Read the sentences aloud and underline the subject of each sentence.

Mǎchē yuè kōng, zàoshēng jiù yuè dà.
（1）马车越空，噪声 就越大。

Yǔ yuè xià yuè dà.
（2）雨越下越大。

Bǎochí hǎo de xīntài, jiù néng yuè huó yuè
（3）保持好的心态，就能 越活越
niánqīng.
年轻。

Hànyǔ yuè xué yuè yǒu yìsi, yuè yǒu yìsi
（4）汉语越学越有意思，越 有意思
wǒ jiù yuè xiǎng xué.
我就越 想 学。

"Zàijiā kào fùmǔ, chū mén kào péngyou",
（5）"在家靠父母，出 门靠 朋友"，
suǒyǐ péngyou yuè duō yuè hǎo.
所以朋友越多越好。

2. **用"越X越Y"组句，然后朗读。** Make sentences with "越X越Y" and then read the sentences aloud.

tā kuài pǎo
（1）她 快 跑
Tā yuè pǎo yuè kuài.
她越 跑 越快。

kāixīn Fāngfāng hé gūmā liáo
（2）开心 方方 和姑妈 聊

xǐhuan wǒ tīng zhè shǒu gē
（3）喜欢 我 听 这首歌

fēng guā dà
（4）风 刮 大

shuō qīzi jiù shēngqì zhàngfu
（5）说 妻子 就 生气 丈夫

1. 网球	wǎngqiú	n.	tennis	
2. 售货员	shòuhuòyuán	n.	shop assistant	
3. 生产	shēngchǎn	v.	to produce, to manufacture	
4. 洗衣机	xǐyījī	n.	washing machine	
5. 月饼	yuèbing	n.	moon cake	
6. 赏月	shǎng yuè		to enjoy the view of the moon	
7. 保持	bǎochí	v.	to keep, to maintain	
8. 心态	xīntài	n.	mentality, state of mind	
9. 靠	kào	v.	to rely on	
10. 父母	fùmǔ	n.	parents	

7 Vocabulary and Chinese characters 学习词汇和汉字

1. 朗读下列词语，然后为它们选择相应的图片。Read the words aloud and then put them beside the right pictures.

shùyè
a. 树叶

shuǐdào
d. 水稻

shùlín
b. 树林

shùzhī
e. 树枝 (branch)

huār
c. 花儿

shù
f. 树

2. 画一棵树，告诉你同桌树的各个部分的名称和颜色。
Draw a tree and tell your deskmate the name and color of every part of the tree.

3. 朗读下列汉字，然后根据共同部分给汉字分类，想想共同部分的意思。Read the characters aloud, group them based on the parts they share in common, and think about the meanings of the common parts.

cháng a. 常　chuāng b. 窗　kè c. 客　xué d. 学　tū e. 突　kōng/kòng f. 空　shì g. 室　chuān h. 穿　cháng i. 尝

xiě j. 写　jiā k. 家　zhǎng l. 掌　shǎng m. 赏　ān n. 安　jiū o. 究　gōng p. 宫　róng q. 容　jiào/jué r. 觉

（1）常 _____ _____ _____

（2）窗 _____ _____ _____ _____

（3）客 _____ _____ _____

（4）学 _____

（5）写

8 Communicative activities 交际活动

1. 跟同伴分别扮演黑格尔和父亲，编一段8—10句的对话。Work in pairs to play Hegel and his father. Make up a conversation with 8—10 sentences.

2. 介绍一个对你的成长影响比较大的人，说说为什么。Name a person who had a great influence on you and explain why.

Hǎiyángguǎn de guǎnggào
海洋馆的广告
Advertisement of the maritime museum

Text 课文 借助生词表，快速浏览课文后回答问题：海洋馆有什么变化? 🔊 04-1 ✏️

What changes occured at the maritime museum? Skim through the text with the help of the list of new words and then answer the question.

Wáng jīnglǐ zài nèilù chéngshì kāile yì jiā
王 经理在内陆城市开了一家

hǎiyángguǎn, kěshì yóuyú ménpiào tài guì, cānguān
海洋馆，可是由于门票太贵，参观

de rén hěn shǎo, yǎnkàn jiù yào dǎobì le.
的人很少，眼看就要倒闭了。

Wáng jīnglǐ dàochù zhēngqiú hǎo diǎnzi, xiǎng
王 经理到处 征求好点子，想

ràng hǎiyángguǎn de shēngyi hǎo qǐlai.
让 海洋馆的生意好起来。

Bùjiǔ, yí ge nǚjiàoshī chūxiàn zài Wáng jīnglǐ
不久，一个女教师出现在王经理

de bàngōngshì, shuō tā yǒu yí ge hǎo diǎnzi.
的办公室，说她有一个好点子。

Wáng jīnglǐ àn nǚjiàoshī de zhǔyi, dēngchūle
王 经理按女教师的主意，登出了

xīn guǎnggào. Yí ge yuè hòu, hǎiyángguǎn tiāntiān
新 广告。一个月后，海洋馆天天

bàomǎn, sān fēn zhī yī shì értóng, sān fēn zhī èr
爆满，三分之一是儿童，三分之二

shì jiāzhǎng. Sān ge yuè hòu, hǎiyángguǎn kāishǐ
是家长。三个月后，海洋馆开始

yínglì le.
赢利了。

Hǎiyángguǎn de guǎnggào zhǐ yǒu liù ge zì——
海洋馆 的 广告只有六个字——

"értóng cānguān miǎnfèi".
"儿童参观 免费"。

Answer the questions

Wáng jīnglǐ zài nǎr kāile yì jiā hǎiyángguǎn?
1. 王 经理在哪儿开了一家 海洋馆?

Hǎiyángguǎn wèi shénme yǎnkàn jiùyào dǎobì le?
2. 海洋馆 为 什么 眼看就要倒闭了?

Wáng jīnglǐ zuòle shénme?
3. 王 经理做了什么?

Shéi yǒu hǎo diǎnzi?
4. 谁 有 好点子?

Yí ge yuè hòu, hǎiyángguǎn zěnmeyàng le?
5. 一个月后，海洋馆 怎么样了?

Sān ge yuè hòu ne?
6. 三个月后呢?

Hǎiyángguǎn de guǎnggào shì shénme?
7. 海洋馆 的 广告 是什么?

2 New words 生 词 🔘 04-2 ✏

1. 内陆	nèilù	n.	inland
2. 开	kāi	v.	to open, to run
3. 海洋馆	hǎiyángguǎn	n.	maritime museum
海洋	hǎiyáng	n.	sea, ocean
4. 由于	yóuyú	prep.	because, due to
5. 眼看	yǎnkàn	adv.	soon, in no time
6. 到处	dàochù	adv.	everywhere
7. 征求	zhēngqiú	v.	to solicit, to seek
8. 点子	diǎnzi	n.	idea

9. 不久	bùjiǔ	adj.	soon, before long
10. 出现	chūxiàn	v.	to appear, to turn up
11. 按	àn	prep.	according to
12. 登	dēng	v.	to publish, to publicize
13. 爆满	bàomǎn	v.	to be filled to capacity
14. 儿童	értóng	n.	children
15. 家长	jiāzhǎng	n.	parent, guardian of a child
16. 赢利	yínglì	v.	to make a profit

3 Notes 注 释

1. 眼看就要倒闭了。

The adverb "眼看" indicates that something is about to happen soon.

2. 王经理到处征求好点子

The adverb "到处" means "everywhere".

4 Text 复述课文
retelling

王经理在……，可是由于……，参观……，眼看……。

王经理……，想让海洋馆……。

不久，一个女教师……，说她……。

王经理……，登出了……。一个月后，海洋馆……，三分之一……，……家长。三个月后，海洋馆……。

海洋馆的广告……"儿童……"。

5 Text 译 文
in English

Mr. Wang opened a maritime museum in an inland city, but due to the high ticket price, it had so few visitors that bankruptcy seemed imminent.

Mr. Wang sought everywhere for ideas to improve the business.

Before long, a teacher turned up at Mr. Wang's office and told him she had a good idea.

Mr. Wang accepted her idea and put up a new advertisement. One month later, the maritime museum was jammed with visitors, one third of whom were children and two thirds were their parents. Three months later, the museum began to make profits.

The advertisement has only four words on it — "Free Admittance for Kids".

（一）眼看 04-3

1. **朗读下列句子，画出"眼看"后面的词语。** Read the sentences aloud and underline the words or phrases after "眼看".

Hǎiyángguǎn yǎnkàn jiù yào dǎobì le.
（1）海洋馆 眼看 <u>就要倒闭了</u>。

Yǎnchū yǎnkàn jiù yào kāishǐ le, tūrán tíngdiàn le.
（2）演出 眼看就要开始了，突然停电了。

Yǎnkàn jiù yào tiān liàng le, Chén dàifu de shǒushù
（3）眼看就要天亮了，陈大夫的手术
hái méi zuòwán.
还没做完。

Zúqiú bǐsài yǎnkàn jiù yào jiéshù le, bǐfēn hái shì
（4）足球比赛眼看就要结束了，比分还是
líng bǐ líng.
零比零。

Yǎnkàn jiù yào bìyè le, kěshì tā de lùnwén hái méi
（5）眼看 就要毕业了，可是他的论文还没
xiěwán ne.
写完呢。

2. **根据图片连线成句，然后朗读。** Draw lines to make sentences based on the pictures and then read the sentences aloud.

kèren yǎnkàn jiù yào dào le
（1）客人眼看就要到了

shǒujī yǎnkàn jiù méi diàn le
（2）手机眼看就没 电了

yǎnkàn yào xià yǔ le
（3）眼看要下雨了

tiān yǎnkàn jiù hēi le
（4）天 眼看就黑了

yǎnkàn jiù yào xià bān le
（5）眼看就要下班了

kuài huí jiā ba
快回家吧

māma hái méiyǒu zhǔnbèi hǎo wǎnfàn
妈妈还没有 准备 好晚饭

nǐ yǒu huà kuài shuō ba
你有话 快说吧

huìyì hái méi jiéshù
会议还没结束

bié wàngle dài sǎn
别忘了带伞

（二）到处 04-4

1. **朗读下列句子，画出"到处"后面的词语。** Read the sentences aloud and underline the words or phrases after "到处".

Wáng jīnglǐ dàochù zhēngqiú hǎo diǎnzi.
（1）王 经理到处 <u>征求 好点子</u>。

Qìchē kuài méi yóu le, kěshì dàochù dōu zhǎo bu dào
（2）汽车快 没油了，可是到处都 找不到
jiāyóuzhàn.
加油站。

Wǒ xiǎng mǎi tā de zhuānjí, kěshì dàochù dōu mǎi bu dào.
（3）我 想 买他的专辑，可是到处都买不到。

Lǐ mìshū de zhuōshang yǒu shù huār, bù zhīdào
（4）李秘书的 桌上 有束花儿，不知道
shéi sòng de, tā dàochù dǎtīng.
谁 送 的，她到处打听。

Zhè zhǒng zhíwù zài Zhōngguó de nánfāng dàochù dōu
（5）这 种 植物在 中国 的南方 到处都
kěyǐ kàndào.
可以 看到。

2. **连线成句，然后朗读。** Draw lines to make sentences and then read the sentences aloud.

yǎnkàn yào bìyèle
（1）眼看 要毕业了

wèile néng zūdào yí ge hǎo fángzi
（2）为了 能租到一个好房子

jīntiān māma bú zàijiā
（3）今天妈妈不在家

jiějie dǎ diànhuà dàochù zhǎo nǐ
（4）姐姐打电话 到处 找你

xià bān shíjiān
（5）下班 时间

nǐ kuài gěi tā huí ge diànhuà ba
你快给她回个电话吧

jiějie dàochù zhǎo gōngzuò
姐姐到处找 工作

dìtiězhàn li dàochù dōu shì rén
地铁站里到处都是人

tā dàochù zhǎo péngyou bāngmáng
他到处 找 朋友 帮忙

jiāli dàochù luànqībāzāo de
家里到处乱七八糟的

1. 天亮	tiān liàng	v.	daybreak, dawn			加油	jiā yóu	v.	to refuel
2. 比分	bǐfēn	n.	score (in a game)		6.	专辑	zhuānjí	n.	special album
3. 论文	lùnwén	n.	paper, thesis, dissertation		7.	打听	dǎting	v.	to inquire about
4. 油	yóu	n.	gas, oil		8.	植物	zhíwù	n.	plant
5. 加油站	jiāyóuzhàn	n.	gas station		9.	南方	nánfāng	n.	south, southern part of a country

7 Vocabulary and Chinese characters 学习词汇和汉字

1. 朗读下列词语，然后把它们填到相应的位置。Read the words aloud and then put them beside the right picture.

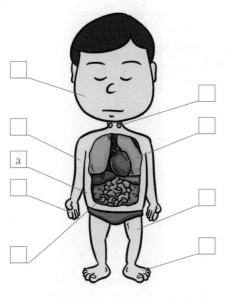

dùzi		mángcháng	
a. 肚子		f. 盲肠	
xīnzàng		tóu	
b. 心脏		g. 头	
shǒu		jiǎo	
c. 手		h. 脚	
tuǐ		biǎntáotǐ	
d. 腿		i. 扁桃体	
gēbo			
e. 胳膊			

2. 用上面的词语描写一下你自己身体的各个部分。
Describe such parts of your body as given above.

3. 朗读下列常用汉字，并组词。Read the common characters below and make words with them.  04-6

jì	guǎn	qī	shì	zhí	dé	zī	mìng	shān	jīn
计	管	期	市	直	德	资	命	山	金
zhǐ	kè	xǔ	tǒng	qū	bǎo	zhì	duì	xíng	shè
指	克	许	统	区	保	至	队	形	社
biàn/pián	kōng/kòng	jué	zhì	zhǎn	mǎ	kē	sī	wǔ	jī
便	空	决	治	展	马	科	司	五	基
yǎn	shū	fēi	zé	tīng	bái	què	jiè	dá	guāng
眼	书	非	则	听	白	却	界	达	光
fàng	qiáng	jí	xiàng	nán/nàn	qiě	quán	sī	wáng	xiàng
放	强	即	像	难	且	权	思	王	象

8 Communicative activities 交际活动

1. 跟同伴编一段8－10句的对话，说说海洋馆的变化。Work in pairs and make up a conversation about the changes at the maritime museum in 8－10 sentences.

2. 说说你见过的最有意思的广告。Talk about the most interesting advertisement you've ever seen.

Kuàizi
筷子
Chopsticks

1 Text 课 文   借助生词表，快速浏览课文后回答问题：中国人从什么时候开始用筷子吃饭？ 🔵 05-1 ✏

When did Chinese people begin to use chopsticks? Skim through the text with the help of the list of new words and then answer the question.

Chuánshuō, sìqiān duō nián qián,   Yǔ dàilǐng rénmen
传说，四千多年前，禹带领人们

zhìlǐ Huáng Hé hóngshuǐ.   Dàjiā měi tiān dōu jǐnzhāng de
治理黄河洪水。大家每天都紧张地

gōngzuò, fēicháng xīnkǔ.
工作，非常辛苦。

　Yǒu yì tiān,　 tāmen gōngzuòle hěn cháng shíjiān,
有一天，他们工作了很长时间，

dōu èjí le,　 jiù zhǔ ròu chī. Ròu zhǔhǎo le,　 yīnwèi
都饿极了，就煮肉吃。肉煮好了，因为

hěn tàng,　 bù néng yòng shǒu názhe chī.
很烫，不能用手拿着吃。

　Yǔ xiǎng chūlai　 yí ge hǎo bànfǎ,　 zhǎo lái liǎng gēn
禹想出来一个好办法，找来两根

xiǎo shùzhī jiā ròu chī.　 Dàjiā dōu fēnfēn ànzhào tā de
小树枝夹肉吃。大家都纷纷按照他的

fāngfǎ chī qǐ ròu lai.　 Yòng kuàizi chī ròu,　 jì fāngbiàn
方法吃起肉来。用筷子吃肉，既方便

yòu bú tàng shǒu.
又不烫手。

　Hòulái,　 rénmen zhújiàn kāishǐ yòng zhè zhǒng fāngfǎ
后来，人们逐渐开始用这种方法

chī fàn,　 kuàizi jiù zhème dànshēng le.
吃饭，筷子就这么诞生了。

Answer the questions

回答问题

Zhè shì shénme shíhou de gùshi?
1. 这是什么时候的故事？

Yǔ dàilǐng rénmen zuò shénme?
2. 禹带领人们做什么？

Dàjiā měi tiān gōngzuò zěnmeyàng?
3. 大家每天工作怎么样？

Nà tiān dàjiā wèi shénme è le?
4. 那天大家为什么饿了？

Èle　 yǐhòu dàjiā zuò shénme le?
5. 饿了以后大家做什么了？

Yòu zhǔhǎo le,　 wèi shénme bù néng yòng shǒu názhe chī?
6. 肉煮好了，为什么不能用手拿着吃？

Yǔ xiǎng chūlai　 yí ge shénme bànfǎ chī ròu?
7. 禹想出来一个什么办法吃肉？

Yòng kuàizi chī fàn zěnmeyàng?
8. 用筷子吃饭怎么样？

Cóng zhè yǐhòu,　 rénmen zěnme chī fàn?
9. 从这以后，人们怎么吃饭？

New words 生词 05-2

1.	带领	dàilǐng	v.	to lead, to guide	8.	根	gēn	m. *used for long thin pieces*
2.	治理	zhìlǐ	v.	to tame, to bring under control	9.	树枝	shùzhī	n. branch, twig
3.	洪水	hóngshuǐ	n.	flood	10.	夹	jiā	v. to press from both sides, to put in between
4.	煮	zhǔ	v.	to cook, to boil	11.	纷纷	fēnfēn	adv. one after another, in succession
5.	肉	ròu	n.	meat	12.	按照	ànzhào	prep. according to
6.	烫	tàng	adj./v.	hot; to scald	13.	逐渐	zhújiàn	adv. gradually
7.	办法	bànfǎ	n.	way, method	14.	诞生	dànshēng	v. to be born, to emerge

Proper noun 专有名词

禹　Yǔ　Yu or Yu the Great, a legendary ruler in ancient China

Notes 注释

1. 禹想出来一个好办法

The structure "v. +出来" indicates that a result is produced through an action or a behavior. It is an extended usage of "出来".

2. 大家都纷纷按照他的方法吃起肉来。

The preposition "按照" (according to) indicates that the noun or pronoun after it is a certain method or standard being followed.

Text 复述课文
retelling

传说，……，禹带领……。大家每天……，……。

有一天，他们工作了……，都……，就……。肉煮……，因为……，不能……。

禹想……，找来……夹肉吃。大家都纷纷按照……。用筷子……，既……。

后来，人们逐渐……，筷子就……了。

Text 译文
in English

The legend goes that Yu the Great led a fight against flooding more than 4,000 years ago. To tame the flood, Yu and everybody else worked hard every day.

One day, they felt starving after long hours of work, so they cooked some meat. But when the meat was ready, they found it too hot to eat with just their hands.

Yu came up with an idea. He found two twigs and used them together to pick the meat. Other people followed his way and ate the meat conveniently without hurting their hands.

Later, more people began to eat this way, in this way chopsticks appeared.

（一）v. + 出来 05-3

1. 朗读下列句子，画出"出来"前的动词。 Read the sentences aloud and underline the verbs before "出来".

Yǔ xiǎng chūlai yí ge hǎo bànfǎ.
（1）禹 想 出来一个好办法。

Lǎo Lǐ xiǎngle bàntiān, cái jiào chūlai wǒ de míngzi.
（2）老李想了半天，才叫出来我的名字。

Xiǎo Wáng, qǐng bǎ zhège wénjiàn dǎyìn chūlai.
（3）小 王，请把这个文件打印出来。

Zhàopiàn shang de rén nǐ dōu néng rèn chūlai ma?
（4）照片 上 的人你都 能 认出来吗?

Zhège míyǔ wǒ cāile bàntiān, yě méi cāi chūlai.
（5）这个谜语我猜了半天，也没猜出来。

2. 根据图片和提示词语，用"出来"完成句子，然后朗读。 Complete the sentences with "出来" based on the pictures and cue words, and then read the sentences aloud.

Wǒ shuō bu chūlai zhège cí de Zhōngwén yìsi. shuō bù
（1）我 说 不出来 这个词的 中文意思。（说 不）

Wǒ shízài gěi nǚpéngyou mǎi shénme lǐwù. xiǎng bù
（2）我 实在＿＿＿＿＿＿＿给 女朋友买 什么礼物。（想 不）

Xiǎo Liú jīnglǐ jīntiān yǒu diǎnr bù gāoxìng. kàn
（3）小 刘＿＿＿＿＿＿＿经理今天有点儿不高兴。（看）

Yí ge xiǎoshí hòu, Xiǎomíng zhōngyú bǎ zhè dào tí le. zuò
（4）一个小时后，小明 终于把这道题＿＿＿＿＿＿＿了。（做）

Méi xiǎngdào Běnjiémíng néng zhème hǎo chī de Zhōngguócài. zuò
（5）没 想到 本杰明 能＿＿＿＿＿＿＿这么好吃的 中国菜。（做）

（二）按照 05-4

1. 朗读下列句子，画出"按照"的宾语。 Read the sentences aloud and underline the objects of "按照".

Dàjiā dōu fēnfēn ànzhào tā de fāngfǎ chī qǐ ròu lai.
（1）大家都纷纷按照他的方法吃起肉来。

Ànzhào túshūguǎn de guīdìng, měi rén zuì duō néng jiè shí běn shū.
（2）按照 图书馆的规定，每人最多能借十本书。

Ànzhào bǐsài guīzé, hóngduì bèi fále yí ge qiú.
（3）按照比赛规则，红队被罚了一个球。

Ànzhào Zhōngguó de chuántǒng, guò Chūn Jié de shíhou yào shuō jílì de huà.
（4）按照 中国 的 传统，过 春节的时候要 说吉利的话。

Jiějie huí guó hòu, ànzhào zìjǐ de xiǎngfǎ qù nóngcūn dāngle xiǎoxué lǎoshī.
（5）姐姐回国后，按照自己的想法去农村当了小学老师。

2. 选择合适的词语填空，然后朗读。 Choose proper words from the words given to fill in the blanks and then read the sentences aloud.

yìjiàn shuǐpíng xíguàn fāngfǎ qíngkuàng
a. 意见 b. 水平 c. 习惯 d. 方法 e. 情况

Ànzhào Sūn Xiǎoxiǎo xiànzài de shōurù tā hái mǎi bu qǐ fángzi.
（1）按照 孙 小小 现在的收入 b，他还买不起 房子。

Ànzhào Zhōngguó de chuántǒng guò Chūn Jié yào chī jiǎozi.
（2）按照 中国 的 传统＿，过 春节要吃饺子。

Ànzhào xiànzài de shēntǐ tā bù néng cānjiā zhè cì bǐsài.
（3）按照 现在的身体＿，他不能参加这次比赛。

Ànzhào dàjiā de wǒmen jīntiān qù cānguān Zhōngguó Guójiā Bówùguǎn.
（4）按照大家的＿，我们今天去参观 中国 国家博物馆。

Ālǐ měi tiān ànzhào lǎoshī de liànxí, xiànzài tā Hànyǔ shuō de yuèláiyuè liúlì le.
（5）阿里每天按照老师的＿练习，现在他汉语 说 得越来越流利了。

1. 打印	dǎyìn	v.	to print	
2. 认	rèn	v.	to recognize, to identify	
3. 谜语	míyǔ	n.	riddle, conundrum	
4. 猜	cāi	v.	to guess	
5. 规定	guīdìng	n.	provision, stipulation	
6. 规则	guīzé	n.	rule, regulation	
7. 球	qiú	n.	ball	
8. 吉利	jílì	adj.	lucky, auspicious	
9. 想法	xiǎngfǎ	n.	idea, opinion	
10. 农村	nóngcūn	n.	countryside, rural area	
11. 小学	xiǎoxué	n.	primary school	

 Vocabulary and Chinese characters 学习词汇和汉字

1. 朗读下列词语，然后为它们选择相应的图片。Read the words aloud and then put them beside the right pictures.

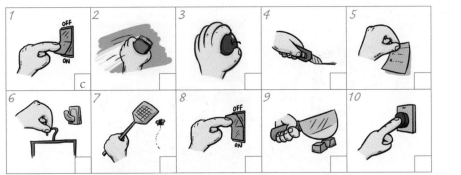

àn		huá
a. 按		f. 划
dǎ		tiē
b. 打		g. 贴
kāi		qiē
c. 开		h. 切
guān		cā
d. 关		i. 擦
guà		zhuā
e. 挂		j. 抓

2. 在上面的动词后面加上宾语。Provide an object for each of the verds above.

Example：（1）按铃 àn líng　（2）开门 kāi mén

3. 朗读下列词语，然后根据"生"的意思给词语分类。Read the words aloud and then group them based on the meanings of "生".

a. 生病 shēng bìng　b. 生孩子 shēng háizi　c. 卫生 wèishēng　d. 生气 shēngqì　e. 发生 fāshēng　f. 学生 xuésheng

g. 生活 shēnghuó　h. 生蛋 shēng dàn　i. 诞生 dànshēng　j. 先生 xiānsheng　k. 生命 shēngmìng　l. 医生 yīshēng

（1）生病 _____ _____ 　　（3）生活 _____ _____

（2）生蛋 _____ _____ 　　（4）先生 _____ _____

Communicative activities 交际活动

1. 三四人一组，表演禹和几个人发明筷子的经过。Work in groups of three or four to act out how Yu and his fellows invented chopsticks.

2. 比较一下用筷子和用刀叉各有什么好处。（补充词汇：灵活 línghuó 手指 shǒuzhǐ、健脑 jiànnǎo、有效 yǒuxiào、切 qiē、精细的 jīngxì de 东西 dōngxi、大块儿的肉 dà kuàir de ròu）Compare chopsticks with knives and forks and find their respective advantages. (Words for reference: 灵活手指 making the fingers nimbler, 健脑 good for the brain, 有效 effective, 切 to cut, 精细的东西 delicate stuff, 大块儿的肉 big piece of meat)

Màn shēnghuó
慢生活
Slow life

Text 课 文   借助生词表，快速浏览课文后回答问题：什么是慢生活？ 06-1

What is a slow life? Skim through the text with the help of the list of new words and then answer the question.

Xiàndàirén de shēnghuó jiézòu yuèláiyuè kuài,
现代人的 生活 节奏越来越快，

yúshì, yǒu rén tíchū "màn shēnghuó" de lǐniàn.
于是，有人提出"慢 生活"的理念。

"Màn shēnghuó" de yìsi shì, shēnghuó bù zhǐ shì
"慢 生活" 的意思是，生活 不只是

jǐnzhāng de gōngzuò, hái yīnggāi yǒu fàngsōng de shíjiān;
紧张的工作，还应该有 放松的时间；

bù néng zhǐ yǒu kuài jiézòu, hái xūyào màn jiézòu.
不能 只有 快节奏，还需要慢节奏。

Bǐrú, mánglù de gōngzuòle yí duàn shíjiān yǐhòu,
比如，忙碌地工作了一段时间以后，

chōu kòngr gēn jiārén yìqǐ hǎohāor chī dùn fàn,
抽空儿跟家人一起 好好儿吃顿饭，

liáoliáo tiānr; huòzhě guàngguang shūdiàn, dúdu
聊聊天儿；或者 逛逛 书店，读读

gǎn xìngqù de shū; huòzhě pào bēi chá, tīngting
感兴趣的书；或者泡杯茶，听听

yīnyuè……
音乐……

"Màn shēnghuó" shì yì zhǒng shēnghuó tàidù,
"慢 生活" 是一种 生活态度，

tā shǐ nǐ de shēnghuó gèng yǒuqù、 gèng fēngfù.
它使你的 生活 更有趣、更丰富。

Answer the questions

回答问题

Xiànzài rénmen de shēnghuó jiézòu zěnmeyàng?
1. 现在 人们 的 生活 节奏怎么样？

Yǒu rén tíchū shénme zhǔzhāng?
2. 有 人 提出什么 主张？

"Màn shēnghuó" shì shénme yìsi?
3. "慢 生活" 是什么意思？

Nǎxiē shēnghuó shì "màn shēnghuó"?
4. 哪些 生活 是"慢 生活"？

"Màn shēnghuó" néng shǐ nǐ de shēnghuó zěnmeyàng?
5. "慢 生活"能 使你的 生活 怎么样？

2 New words 生词 06-2

1. 现代人	xiàndàirén	n.	modern people
现代	xiàndài	n.	modern times
2. 节奏	jiézòu	n.	rhythm, pace, tempo
3. 理念	lǐniàn	n.	idea
4. 放松	fàngsōng	v.	to relax
5. 忙碌	mánglù	adj.	busy
6. 段	duàn	m.	(*used to indicate time or distance*) section, period
7. 抽空儿	chōu kòngr	v.	to manage to find time

8. 顿	dùn	m.	*used to indicate frequency*
9. 饭	fàn	n.	meal
10. 或者	huòzhě	conj.	or, either...or...
11. 书店	shūdiàn	n.	bookstore
12. 泡	pào	v.	to steep, to soak
13. 使	shǐ	v.	to make, to cause, to enable
14. 有趣	yǒuqù	adj.	fun, interesting
15. 丰富	fēngfù	adj.	rich, plentiful, abundant

3 Notes 注释

1. 生活不只是紧张的工作，还应该有放松的时间

The optative verb "应该" means "should" or "it stands to reason that…".

2. 生活不只是紧张的工作，还应该有放松的时间

The structure "不只X，还Y" (not only..., but also…) means both X and Y exist and that Y is a further supplement to X.

4 Text retelling 复述课文

现代人……，于是，有人提出……。"慢生活"……，生活不只是……，还……；不能……，还……。比如，忙碌地……以后，抽空儿跟……好好儿……，……；或者……，读读……；或者……，听听……

"慢生活"是一种……，它使……更……、更……。

5 Text in English 译文

As the pace of modern life gets faster each day, the concept "slow life" is advocated. "Slow life" is a life with leisure time in it rather than just stressful work, and a life which keeps a balance between quick and slow tempos. In a slow life, one spends time with his family after working busily for a period of time, having a nice dinner or chat with them; in a slow life, one may go to bookstores to read some books that interest him or enjoy some tea and music…

"Slow life" is an attitude which makes your life richer and more pleasant.

（一）应该   06-3

  1. 朗读下列句子，画出"应该"后面的词语。Read the sentences aloud and underline the words or phrases after "应该".

（1）生活 不只是紧张的工作，还
Shēnghuó bù zhǐ shì jǐnzhāng de gōngzuò, hái
应该 有 放松 的时间。
yīnggāi yǒu fàngsōng de shíjiān

（2）太晚了，我们不应该再打扰他。
Tài wǎn le, wǒmen bù yīnggāi zài dǎrǎo tā.

（3）年轻人 都应该有自己的 梦想。
Niánqīngrén dōu yīnggāi yǒu zìjǐ de mèngxiǎng.

（4）他已经跟你道歉了，你应该 原谅 他。
Tā yǐjīng gēn nǐ dàoqiàn le, nǐ yīnggāi yuánliàng tā.

（5）我们 应该 尊重 各国不同的 文化和 习俗。
Wǒmen yīnggāi zūnzhòng gè guó bù tóng de wénhuà hé xísú.

  2. 用"应该"完成句子，然后朗读。Complete the sentences with "应该" and then read the sentences aloud.

（1）你太瘦了，___应该多吃点儿___。
Nǐ tài shòu le, yīnggāi duō chī diǎnr.

（2）圣诞 节快到了，_____。
Shèngdàn Jié kuài dào le

（3）你感冒了，_____。
Nǐ gǎnmào le

（4）放假了，我们_____。
Fàngjià le, wǒmen

（5）你如果 想 吃 炸酱面，就_____。
Nǐ rúguǒ xiǎng chī zhájiàngmiàn, jiù

（二）不只X，还Y   06-4

  1. 朗读下列句子，画出X和Y。Read the sentences aloud and underline the parts X and Y.

（1）生活 不只是紧张的工作，还应该有 放松 的时间。
Shēnghuó bù zhǐ shì jǐnzhāng de gōngzuò, hái yīnggāi yǒu fàngsōng de shíjiān.

（2）我不只爱他又高又帅，还爱他 诚实 可靠。
Wǒ bù zhǐ ài tā yòu gāo yòu shuài, hái ài tā chéngshí kěkào.

（3）运动 不只是 锻炼身体，还可以放松 心情，释放压力。
Yùndòng bù zhǐ shì duànliàn shēntǐ, hái kěyǐ fàngsōng xīnqíng, shìfàng yālì.

（4）孔子不只是 著名的思想家，还是 著名 的教育家。
Kǒngzǐ bù zhǐ shì zhùmíng de sīxiǎngjiā, hái shì zhùmíng de jiàoyùjiā.

（5）语言不只是一种 交流工具，还是 一种 文化。
Yǔyán bù zhǐ shì yì zhǒng jiāoliú gōngjù, hái shì yì zhǒng wénhuà.

  2. 根据图片和提示词语，用"不只……还……"完成句子，然后朗读。Complete the sentences with "不只……还……" based on the pictures and cue words and phrases, and then read the sentences aloud.

（1）吸烟不 只对自己有害，还对别人有害。（自己 别人 对……有害）
Xīyān bù zhǐ duì zìjǐ yǒu hài, hái duì biéren yǒu hài.   zìjǐ biéren duì…… yǒu hài

（2）这个地方_____，_____。（有 漂亮的风景 各种 美食）
Zhège dìfang   yǒu piàoliang de fēngjǐng gè zhǒng měishí

（3）大卫_____，_____。（吃 做 中国菜）
Dàwèi   chī zuò Zhōngguócài

（4）手机_____，_____。（打电话 上 网、看书、玩儿游戏）
Shǒujī   dǎ diànhuà shàng wǎng、kàn shū、wánr yóuxì

（5）我 住的房子_____，交通_____。（环境 好 很 方便）
Wǒ zhù de fángzi   jiāotōng   huánjìng hǎo hěn fāngbiàn

Supplementary new words 扩展生词 06-5

1. 打扰	dǎrǎo	v.	to disturb, to trouble	7. 诚实	chéngshí	adj.	honest
2. 道歉	dào qiàn	v.	to apologize	8. 可靠	kěkào	adj.	reliable, trustworthy
3. 尊重	zūnzhòng	v.	to respect	9. 心情	xīnqíng	n.	mood, state of mind
4. 各国	gè guó		various countries, every country	10. 释放	shìfàng	v.	to release, to acquit
5. 习俗	xísú	n.	custom, convention	11. 压力	yālì	n.	pressure
6. 爱	ài	v.	to love	12. 工具	gōngjù	n.	tool, instrument, means

7 Vocabulary and Chinese characters 学习词汇和汉字

1. 朗读下列词语，然后为它们选择相应的图片。Read the words aloud and then put them beside the right pictures.

yóujú
a. 邮局

chāoshì
e. 超市

shūdiàn
b. 书店

yínháng
f. 银行

yīyuàn
c. 医院

jiāyóuzhàn
g. 加油站

bówùguǎn
d. 博物馆

diànyǐngyuàn
h. 电影院

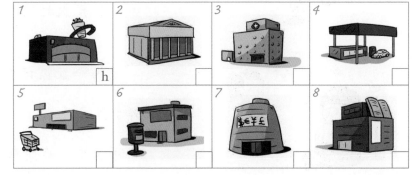

2. 说说去上面的地方做什么。

Talk about what people go to the above places to do.

Qù diànyǐngyuàn kàn diànyǐng.
Example：去 电影院 看 电影。

3. 朗读下列汉字，然后根据共同部分给汉字分类，说说共同部分是什么意思。Read the characters aloud, group them based on the parts they share in common, and talk about the meanings of the common parts.

tíng　　jìn　　jiàn　　jìn　　yuǎn　　dàn　　tǐng
a. 庭　b. 近　c. 健　d. 进　e. 远　f. 诞　g. 挺

dào　　dá　　jiàn　　yùn　　zhuī　　sòng
h. 道　i. 达　j. 建　k. 运　l. 追　m. 送

（1）庭 _____ _____ _____ _____

（2）近 _____ _____ _____ _____ _____ _____

8 Communicative activities 交际活动

1. 跟同伴分别扮演记者和主张慢生活的人，编一段8－10句的对话。Work in pairs to play a journalist and a person who lives a slow life. Make up a conversation with 8－10 sentences.

2. 说说你对慢生活的看法。Talk about your opinion regarding slow life.

Jiǎn kùzi
剪裤子
Shortening pants

1 Text 课 文 借助生词表，快速浏览课文后回答问题：小东的裤子最后短了几寸？ 🔊 07-1 ✏️

How many inches too short were Xiaodong's pants at last? Skim through the text with the help of the list of new words and then answer the question.

Wèile cānjiā míngtiān de bìyè diǎnlǐ, Xiǎodōng mǎile tiáo xīn
为了参加明天的毕业典礼，小东买了条新
kùzi. Huí jiā shìle shì, fāxiàn kùzi cháng liǎngcùn. Wǎnfàn de
裤子。回家试了试，发现裤子长 两寸。晚饭的
shíhou, Xiǎodōng shuōqǐ zhè jiàn shì, dàjiā dōu méi shuō huà.
时候，小东 说起这件事，大家都没说话。

Māma yìzhí diànjizhe zhè jiàn shì, lín shuì qián qiāoqiāo de
妈妈一直惦记着这件事，临睡前 悄悄地
bǎ kùzi jiǎnle liǎng cùn.
把裤子剪了两寸。

Bànyè li, jiějie zài shuìmèng zhōng měngrán xiǎngqǐ zhè jiàn
半夜里，姐姐在 睡梦 中 猛然 想起这件
shì, yòu bǎ kùzi jiǎnle liǎng cùn.
事，又把裤子剪了两寸。

Nǎinai yě yìzhí diànjizhe sūnzi de kùzi, dì-èr tiān
奶奶也 一直惦记着孙子的裤子，第二天
yídàzǎo jiù qǐlai, bǎ kùzi yòu jiǎnle liǎng cùn.
一大早就起来，把裤子又剪了两寸。

Jiéguǒ, Xiǎodōng zhǐhǎo chuānzhe duǎn sì cùn de kùzi qù
结果，小东 只好 穿着 短四寸的 裤子去
cānjiā bìyè diǎnlǐ le.
参加毕业典礼了。

Answer the questions

回答问题

Xiǎodōng wèi shénme yào mǎi xīn kùzi?
1. 小东 为 什么 要买新裤子？

Zhè tiáo xīn kùzi zěnmeyàng?
2. 这 条 新裤子怎么样？

Xiǎodōng shénme shénhou shuōqǐle zhè jiàn shì?
3. 小东 什么 时候 说起了这件事？

Māma shénme shíhou bǎ kùzi jiǎnle liǎng cùn?
4. 妈妈 什么 时候把裤子剪了两 寸？

Jiějie shénme shíhou bǎ kùzi jiǎnle liǎng cùn?
5. 姐姐什么时候把裤子剪了两 寸？

Nǎinai shénme shíhou bǎ kùzi jiǎnle liǎng cùn?
6. 奶奶 什么 时候把裤子剪了两 寸？

Jiéguǒ zěnmeyàng?
7. 结果怎么样？

2 New words 生 词 🔘 07-2 🖌

1. 为了	wèile	prep.	for, for the sake of
2. 毕业典礼	bìyè diǎnlǐ		graduation ceremony, commencement
典礼	diǎnlǐ	n.	ceremony
3. 试	shì	v.	to try (on), to test
4. 寸	cùn	m.	*cun*, Chinese inch (=1/30 meters)
5. 说起	shuōqǐ		to mention, to talk about
6. 惦记	diànji	v.	to remember with concern, to keep thinking about
7. 临	lín	prep.	about to, just before
8. 悄悄	qiāoqiāo	adv.	quietly, secretly
9. 剪	jiǎn	v.	to cut with scissors
10. 半夜	bànyè	n.	midnight, late at night
11. 睡梦	shuìmèng	n.	sleep, slumber, dream
12. 猛然	měngrán	adv.	suddenly, abruptly
13. 孙子	sūnzi	n.	grandson
14. 第二天	dì-èr tiān		the next day, the second day
15. 一大早	yídàzǎo		early in the morning
16. 结果	jiéguǒ	conj.	as a result

3 Notes 注 释

1. 为了参加明天的毕业典礼，小东买了条新裤子。

The preposition "为了" indicates that the word or phrase after it is the reason for or purpose of an action or a behavior.

2. 姐姐在睡梦中猛然想起这件事

In the structure "v. + 起", "起" introduces the content related to the verb (such as mention, think of, etc.). It is an extended usage of "起".

4 Text 复述课文
retelling

为了参加……，小东……。回家……，发现……。晚饭的时候，小东……，大家……。

妈妈一直……，临睡前……。

半夜里，姐姐……猛然……，又……。

奶奶也……，第二天……就……，把……。

结果，小东只好……去参加……。

5 Text 译 文
in English

Xiaodong bought himself a pair of pants for his graduation ceremony that was on the next day. When he got home, he found that the pants were two inches too long. He talked about it over dinner, and everybody said nothing.

His mother kept it in mind and shortened the pants by two inches before going to bed without telling anyone.

In the midnight, his elder sister suddenly awoke and remembered her brother's pants, so she got up and shortened the pants by two inches too.

His grandmother didn't forget about the pants either. She got up early the next morning and shortened the pants by another two inches.

At last, Xiaodong went to the graduation ceremony with his pants four inches too short.

（一）为了 07-3

1. 朗读下列句子，画出"为了"后面的短语或句子。 Read the sentences aloud and underline the phrases or clauses after "为了".

Wèile cānjiā míngtiān de bìyè diǎnlǐ, Xiǎodōng mǎile
（1）为了参加明天的毕业典礼，小东 买了
tiáo xīn kùzi.
条 新裤子。

Wèile duō zhèng diǎnr qián, tā měi tiān dǎ liǎng fèn gōng.
（2）为了多 挣点儿钱，她每天打两份工。

Wèile jiéyuē shíjiān, wǒmen háishi dǎchē qù nàr ba.
（3）为了节约时间，我们还是打车去那儿吧。

Wèile néng yǒu gèng duō de shíjiān zhàogù jiātíng,
（4）为了能 有 更 多 的时间照顾家庭，
tā cídiàole gōngzuò.
她辞掉了工作。

Wèile gěi nǎinai guò bāshí suì shēngrì, érsūnmen
（5）为了给奶奶过八十岁生日，儿孙们
dōu cóng wàidì gǎnle huílai.
都 从外地赶了回来。

2. 连线成句，然后朗读。 Draw lines to make sentences and then read the sentences aloud.

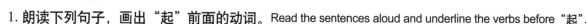

Wèile shàng xià bān fāngbiàn
（1）为了上下班方便

Wèile kǎoshàng lǐxiǎng de dàxué
（2）为了考上理想的大学

Wèile fàngsōng yíxià
（3）为了放松一下

Wèile mǎidào nà chǎng zúqiúsài de piào
（4）为了买到那场足球赛的票

Wèile néng gǎnshàng fēijī
（5）为了能 赶上飞机

Xiǎoshuāng pái le bàntiān de duì
小双 排了半天的队

Dīng lǜshī juédìng yí ge rén chūqu lǚxíng
丁律师决定一个人出去旅行

Sūn Zhōngpíng zǎoshang wǔ diǎn jiù qǐchuáng le
孙 中平 早上 五点就 起床了

dìdi měi tiān xué dào hěn wǎn cái shuìjiào
弟弟每天学到很晚才睡觉

Wú Míngyù zài gōngsī fùjìn zūle ge fángzi
吴 明玉在公司附近租了个房子

（二）v. + 起 07-4

1. 朗读下列句子，画出"起"前面的动词。 Read the sentences aloud and underline the verbs before "起".

Wǎnfàn de shíhou, Xiǎodōng shuōqǐ zhè jiàn shì.
（1）晚饭 的时候，小东 说起这件事。

Měi dào Zhōngqiū Jié, wǒ jiù huì xiǎngqǐ zìjǐ de jiāxiāng.
（2）每到 中秋节，我就会 想起自己的家乡。

Huíyì qǐ dàxué shēnghuó, wǒmen dōu duì lǎoshī chōngmǎnle gǎnjī.
（3）回忆起大学 生活，我们都对老师 充满了感激。

Zài huǒchē shang, nǚpéngyou gēn wǒ shuōqǐ gāng rènshi de shíhou tā bìng bù xǐhuan wǒ.
（4）在火车 上，女朋友 跟我说起刚 认识的时候她并不喜欢我。

Tā xīngfèn de gēn wǒ tánqǐ zìjǐ de mèngxiǎng: "Wǒ yào zài Niǔyuē kāi yì suǒ Zhōngwén xuéxiào!"
（5）她兴奋地跟我谈起自己的 梦想："我要在纽约开一所 中文 学校！"

2. 根据图片和提示词语，用"起"完成句子，然后朗读。 Complete the sentences with "起" based on the pictures and cue words, and then read the sentences aloud.

Tóngxuémen yí jiàn miàn jiù liáoqǐ xué Hànyǔ de jīngyàn. liáo
（1）同学们 一见 面就聊起学汉语的经验。（聊）

Wǎnshang, wǒ tūrán yīnggāi gěi māma dǎ ge diànhuà. xiǎng
（2）晚上，我突然＿＿＿应该给妈妈打个电话。（想）

Jùhuì shí, tóngxuémen zài Lúndūn de shēnghuó. huíyì
（3）聚会时，同学们＿＿＿在伦敦的 生活。（回忆）

Péngyou zài diànhuà zhōng le wǒ zài Běijīng de gōngzuò qíngkuàng.
（4）朋友 在电话 中＿＿＿了我在北京的工作 情况。
wèn
（问）

1. 打工	dǎ gōng	v.	to do a temporary job	
2. 节约	jiéyuē	v.	to save, to economize	
3. 照顾	zhàogù	v.	to look after, to take care of	
4. 辞	cí	v.	to resign, to quit	
5. 岁	suì	m.	year (of age)	
6. 儿孙	érsūn	n.	children and grandchildren	

7. 外地	wàidì	n.	part of the country other than where one lives, other places
8. 家乡	jiāxiāng	n.	hometown, native place
9. 回忆	huíyì	v.	to recall, to recollect
10. 充满	chōngmǎn	v.	to be full of
11. 感激	gǎnjī	v.	to be grateful

7 Vocabulary and Chinese characters 学习词汇和汉字

1. 朗读下列词语，然后为它们选择相应的图片。Read the words aloud and then put them beside the right pictures.

bàngwǎn
a. 傍晚

yídàzǎo
e. 一大早

zhōngwǔ
b. 中午

bànyè
f. 半夜

zǎoshang
c. 早上

wǎnshang
g. 晚上

shàngwǔ
d. 上午

xiàwǔ
h. 下午

2. 用上面的词语说说这些时候你都做什么。 Talk about what you do during each period of time above.

Wǒ wǎnshang cānjiā jùhuì.
Example：我 晚上 参加聚会。

3. 朗读下列汉字，然后根据共同部分给汉字分类，说说共同部分是什么意思。Read the characters aloud, group them based on the parts they share in common, and talk about the meanings of the common parts.

gǎn
a. 感

yì
b. 忆

wàng
c. 忘

lǎn
d. 懒

diàn
e. 惦

rěn
f. 忍

mèn
g. 闷

dǒng
h. 懂

yú
i. 愉

xiǎng
j. 想

jí
k. 急

pà
l. 怕

qiāo
m. 悄

yuàn
n. 怨

（1）感 _____ _____ _____ _____ _____

（2）忆 _____ _____ _____ _____ _____

8 Communicative activities 交际活动

1. 跟同伴分别扮演小东和老师，编一段8－10句的对话，说明裤子短了的原因。Work in pairs to play Xiaodong and his teacher. Make up a conversation with 8－10 sentences and explain the reason why the pants are too short.

2. 说说发生在你的家人或朋友身上的有意思的小故事。Talk about something interesting that has happened to your family member or friend.

Tǔlǔfān

吐鲁番

Turpan

1 Text 课 文　借助生词表，快速浏览课文后回答问题：吐鲁番有什么特别的地方？　　08-1

What's special about Turpan? Skim through the text with the help of the list of new words and then answer the question.

Xīnjiāng Tǔlǔfān xiàtiān fēicháng rè, suǒyǐ bèi chēngwéi
新疆 吐鲁番 夏天 非常 热， 所以 被 称为

"huǒzhōu". Zuì rè de shíhou, zhèli shātǔ de biǎomiàn wēndù
"火洲"。 最热的时候， 这里沙土 的 表面 温度

dá dào bāshí'èr shèshìdù! Jiǎrú nǐ bǎ yí ge shēng jīdàn fàngjìn shātǔ
达到　82°C! 假如你把一个生鸡蛋放进沙土

li, yíhuìr jiù néng shú. Chūntiān hé qiūtiān, zhèli báitiān hé
里，一会儿就能熟。春天和秋天， 这里白天和

wǎnshang wēnchā yòu tèbié dà, suǒyǐ liúchuánzhe zhèyàng yí jù
晚上 温差又特别大，所以流传着 这样一句

súyǔ: "Zǎo chuān pí'ǎo wǔ chuān shā, wéizhe huǒlú chī xīguā."
俗语："早 穿皮袄午穿纱， 围着 火炉吃西瓜。"

　Tǔlǔfān shèngchǎn shuǐguǒ, yóuqí shì pútao hé hāmìguā,
　吐鲁番 盛产 水果，尤其是葡萄和哈密瓜，

yòu xiāng yòu tián. Suǒyǐ měi dào xiàtiān, dāng shuǐguǒ shúle de
又香又甜。所以每到夏天， 当 水果熟了的

shíhou, gè dì de rénmen dōu xǐhuan lái zhèli lǚyóu.
时候，各地的人们都喜欢来这里旅游。

Answer the questions

Tǔlǔfān wèi shénme bèi chēngwéi "huǒzhōu"?
1. 吐鲁番 为什么 被 称为 "火洲"？

Tǔlǔfān zuì rè shí wēndù shì duōshao shèshìdù?
2. 吐鲁番 最热时温度是多少 摄氏度？

Zuì rè de shíhou yàoshi bǎ shēng jīdàn fàngjìn shātǔ
3. 最热的时候要是把 生鸡蛋放进沙土

li huì zěnmeyàng?
里会怎么样？

Tǔlǔfān chūntiān hé qiūtiān tiānqì zěnmeyàng?
4. 吐鲁番 春天和秋天天气怎么样？

Tǔlǔfān liúchuánzhe shénme súyǔ?
5. 吐鲁番 流传着 什么俗语？

Tǔlǔfān shèngchǎn shénme shuǐguǒ?
6. 吐鲁番 盛产 什么 水果？

Tǔlǔfān de shuǐguǒ wèidào zěnmeyàng?
7. 吐鲁番 的水果 味道 怎么样？

Měi dào shuǐguǒ shúle de shíhou, huì zěnmeyàng?
8. 每到 水果 熟了的时候， 会怎么样？

1. 称为	chēngwéi	to be called, to be named	9. 流传	liúchuán v. to spread, to hand down
称	chēng	v. to call, to name	10. 俗语	súyǔ n. common saying, folk adage
为	wéi	v. to take as, to serve as, to act as	11. 皮袄	pí'ǎo n. fur-lined jacket
2. 火洲	huǒzhōu	n. land of fire	12. 午	wǔ noon, midday
3. 沙土	shātǔ	n. sandy soil	13. 纱	shā n. gauze, textile or fabric products
4. 假如	jiǎrú	conj. if, supposing	14. 火炉	huǒlú n. (heating) stove
5. 生	shēng	adj. raw, uncooked	15. 盛产	shèngchǎn v. to be rich in, to teem with
6. 熟	shú	adj. cooked, done	16. 哈密瓜	hāmìguā n. Hami melon
7. 白天	báitiān	n. day, daytime	17. 各地	gè dì various places
8. 特别	tèbié	adv. unusually, uncommonly		

Proper nouns 专有名词

1. 新疆	Xīnjiāng	Xinjiang Uygur Autonomous Region
2. 吐鲁番	Tǔlǔfān	Turpan, a region in Xinjiang

Notes 注 释

1. 新疆吐鲁番夏天非常热，所以被称为"火洲"。

The expression "称为", same as "叫做", means "to be called".

2. 当水果熟了的时候，各地的人们都喜欢来这里旅游。

The expression "当……的时候" indicates the time when something happens.

Text 复述课文
retelling

　　新疆吐鲁番……，所以……。最热的时候，这里沙土的……！假如你……，一会儿……。春天和秋天，这里……特别大，所以流传着……："早穿……，围着……。"

　　吐鲁番……，尤其是……，又……又……。所以每到……，当……的时候，各地的人们……。

Text 译 文
in English

Turpan, Xinjiang, is very hot in summer and is therefore known as the "Land of Fire". At the hottest time of the year, the temperature on the surface of the sand can reach as high as 82 degrees centigrade. If you put a raw egg into the sand, it will take only a little while before it is cooked. In spring and fall, the temperature difference between day and night is big, thus the famous saying "Wear fur in the morning, but gauze at noon; hug the stove while enjoying watermelons".

Turpan is famous for its fruits, especially the fragrant and sweet grapes and Hami melons. For that reason, every summer when the fruits are ripe, tourists are attracted to Turpan from different places.

（一）称为 🔘 08-3 ✏️

1.朗读下列句子，画出"称为"前面和后面的词语。 Read the sentences aloud and underline the words or phrases before and after "称为".

Xīnjiāng Tǔlǔfān xiàtiān fēicháng rè, suǒyǐ bèi chēngwéi "huǒzhōu".
（1）新疆吐鲁番夏天非常热，所以被 称为 "火洲"。

Hànyǔ li, háizimen xíguàn bǎ niánzhǎng de nǚxìng chēngwéi "āyí".
（2）汉语里，孩子们习惯把 年长 的女性 称为 "阿姨"。

Zài rìcháng shēnghuó zhōng, rénmen bǎ diànzǐ jìsuànjī chēngwéi "diànnǎo".
（3）在日常 生活 中，人们把电子计算机 称为 "电脑"。

Kǒngzǐ shì Zhōngguó zhùmíng de sīxiǎngjiā, jiàoyùjiā, rénmen bǎ tā chēngwéi "shèngrén".
（4）孔子是 中国 著名 的思想家、教育家，人们把他 称为 "圣人"。

Rénmen bǎ "líng" dào "jiǔ" zhè shí ge shùzì chēngwéi "Ālābó shùzì".
（5）人们 把 "0" 到 "9" 这十个数字 称为 "阿拉伯数字"。

2.选择合适的词语填空，用"称为"完成句子，然后朗读。 Choose proper words or phrases from the ones given to fill in the blanks, complete the sentences with "称为", and then read the sentences aloud.

shìjiè wūjǐ mǔqīnhé Zhōngguó de guóbǎo zájiāo shuǐdào zhī fù
a. 世界屋脊(roof of the world) b. 母亲河 c. 中国 的 国宝(national treasure) d. 杂交 水稻 之父

Zhōngguórén bǎ Huáng Hé chēngwéi "mǔqīn hé".
（1）中国人 把 黄 河 称为 "母亲河"。

Yuán Lóngpíng bèi dàjiā
（3）袁 隆平 被大家＿＿＿＿＿＿。

Zhūmùlǎngmǎ Fēng bèi
（2）珠穆朗玛 峰 被＿＿＿＿＿＿。

Xióngmāo bèi
（4）熊猫 被＿＿＿＿＿＿。

（二）当……的时候 🔘 08-4 ✏️

1.朗读下列句子，画出"当……的时候"中间的词语。 Read the sentences aloud and underline the words or phrases between "当" and "的时候".

Dāng shuǐguǒ shúle de shíhou, gè dì de rénmen dōu xǐhuan
（1）当 水果熟了的时候，各地的人们 都喜欢
lái zhèli lǚyóu.
来这里旅游。

Dāng nǐ liàn'ài de shíhou, nǐ jiù huì lǐjiě wǒ de xīnqíng le.
（2）当 你恋爱的时候，你就会理解我的心情了。

Dāng fāshēng jǐnjí qíngkuàng de shíhou, yídìng yào lěngjìng.
（3）当 发生紧急情况 的时候，一定要冷静。

Péngyou jiù shì dāng nǐ xūyào de shíhou,
（4）朋友 就是 当你需要的时候，
zǒng huì chūxiàn zài nǐ shēnbiān de rén.
总 会出现在你身边 的人。

Dāng xià ge shìjì dàolái de shíhou, shìjiè
（5）当 下个世纪到来的时候，世界
huì shì shénme yàngzi ne?
会是什么 样子呢?

2.根据图片和提示词语，用"当……的时候"完成句子，然后朗读。 Complete the sentences with "当……的时候" based on the pictures and cue words and phrases, and then read the sentences aloud.

Dāng tā bā suì de shíhou fùmǔ jiù dài tā láidàole Zhōngguó.
（1）＿＿当 他八岁的时候＿＿，父母就带他来到了中国。
tā bā suì
（他八岁）

érzi yǐjīng shuìzháo le. māma huílai
（2）＿＿＿＿＿＿＿＿，儿子已经 睡着了。（妈妈回来）

wǒ jiù huì qù guàngjiē. wǒ bù kāixīn
（3）＿＿＿＿＿＿＿，我就会去 逛街。（我不开心）

wǒ huì tīng yíhuìr yīnyuè huòzhě kàn yíhuìr
（4）＿＿＿＿＿＿，我会听一会儿音乐或者看一会儿
shū. wǒ shuì bu zháo
书。（我 睡不着）

1. 年长	niánzhǎng	adj.	older, senior in age		6. 恋爱	liàn'ài	v.	to be in love, to be in a relationship
2. 女性	nǚxìng	n.	woman		7. 紧急	jǐnjí	adj.	urgent, emergent
3. 日常	rìcháng	adj.	everyday, daily		8. 冷静	lěngjìng	adj.	calm, unruffled, composed
4. 电子计算机	diànzǐ jìsuànjī		electronic computer		9. 身边	shēnbiān	n.	one's side
计算机	jìsuànjī	n.	computer		10. 世纪	shìjì	n.	century
5. 圣人	shèngrén	n.	saint		11. 样子	yàngzi	n.	look, appearance

Proper noun　专有名词

阿拉伯　Ālābó　Arabia

 Vocabulary and Chinese characters　学习词汇和汉字

1. 朗读下列词语，然后为它们选择相应的图片。Read the words aloud and then put them beside the right pictures.

　　shuǐguǒ　　căoméi
a. 水果　　g. 草莓
　　xiāngjiāo　　píngguǒ
b. 香蕉　　h. 苹果
　　pútao　　xīgua
c. 葡萄　　i. 西瓜
　　hāmìguā　　xīhóngshì
d. 哈密瓜　j. 西红柿
　　míhóutáo
e. 猕猴桃 (kiwi fruit)
　　lánméi
f. 蓝莓 (blueberry)

2. 用上面的词语说说各种水果多少钱一斤。Talk about the price of each kind of fruit above.

　　　　　　　Xīhóngshì wǔ kuài qián yì jīn.
Example：西红柿五块钱一斤。

3. 朗读下列常用汉字，并组词。Read the common characters below and make words with them. 08-6

wán	shè	shì	sè	lù	jì	nán	pǐn	zhù	gào
完	设	式	色	路	记	南	品	住	告
lèi	qiú	jù	chéng	běi	biān	sǐ	zhāng	gāi	jiāo
类	求	据	程	北	边	死	张	该	交
guī	wàn	qǔ	lā	gé	wàng	jiào/jué	shù	lǐng	gòng
规	万	取	拉	格	望	觉	术	领	共
què	chuán	shī	guān	qīng	jīn	qiē	yuàn	ràng	shí
确	传	师	观	清	今	切	院	让	识
hòu	dài	dǎo	zhēng	yùn	xiào	fēi	fēng	bù	gǎi
候	带	导	争	运	笑	飞	风	步	改

 Communicative activities　交际活动

1. 跟同伴编一段介绍吐鲁番的对话。（8－10句）Work in pairs to make up a conversation about Turpan in 8－10 sentences.

2. 说说你最喜欢的一个城市。Talk about your favorite city.

Zuò   diàntī
坐电梯
Taking the lift

1 Text 课 文　借助生词表，快速浏览课文后回答问题："我"做了什么事？　🔘 09-1 ✏️

What did "I" do? Skim through the text with the help of the list of new words and then answer the question.

Zuótiān xiàwǔ   zìxí hòu,   wǒ zài túshūguǎn
昨天下午自习后，我在图书馆

děng diàntī de shíhou,   láile   yí ge nánshēng hé yí ge
等电梯的时候，来了一个男生和一个

nǚshēng.
女生。

　　Nánshēng qiāoqiāo de duì nǚshēng shuō: "Wǎnshang
　　男生　悄悄地对女生 说："晚上

wǒ néng qǐng nǐ hē bēi kāfēi ma?"   Nǚshēng hàixiū
我能 请你喝杯咖啡吗？"女生害羞

de kànle tā yì yǎn: "Chúfēi nǐ zǒu lóutī bǐ wǒ xiān
地看了他一眼："除非你走楼梯比我先

dào bā céng,   wǒ cái qù."
到8层，我才去。"

　　Diàntī   lái   le,   nánshēng bá tuǐ   jiù wǎng lóu shàng pǎo.
　　电梯来了，男生拔腿就往楼上 跑。

Jìnle   diàntī,   wǒ mòmò de bǎ èr céng dào qī céng de diàntī
进了电梯，我默默地把2层到7层的电梯

ànniǔ quán èn le   yí biàn.
按钮全摁了一遍。

　　Zuò dào qī céng wǒ jiù chūlai le,   dànshì wǒ yìzhí
　　坐到7层我就出来了，但是我一直

méi gǎn huítóu kàn nà nǚshēng de yǎnshén.   Chūlai hòu wǒ
没敢回头看那女生的眼神。出来后我

xīnli   duì nàge nánshēng shuō: Xuézhǎng zhǐ néng bāng nǐ
心里对那个 男生 说：学长 只能 帮你

zhèxiē le!
这些了！

Answer the questions

回答问题

"Wǒ" shénme shíhou,   zài nǎr děng diàntī?
1. "我"什么时候、在哪儿等电梯？

"Wǒ" děng diàntī de shíhou,   shéi lái le?
2. "我"等电梯的时候，谁来了？

Nánshēng duì nǚshēng shuōle shénme?
3. 男生　对女生 说了什么？

Nǚshēng shuōle shénme?
4. 女生 说了什么？

Diàntī láile yǐhòu,   nánshēng zuòle shénme?
5. 电梯来了以后，男生 做了什么？

Jìn diàntī yǐhòu,   "wǒ"   zuòle shénme?
6. 进电梯以后，"我"做了什么？

"Wǒ" shénme shíhou chūle diàntī?
7. "我"什么时候出了电梯？

"Wǒ"   yìzhí bù gǎn zuò shénme?
8. "我"一直不敢做什么？

"Wǒ" wèi shénme yào zhème zuò?
9. "我"为什么要这么做？

2 New words 生词  09-2

1. 自习	zìxí	v.	to study by oneself in scheduled or free time	9. 拔腿	bá tuǐ	v.	to take to one's heels immediately
2. 男生	nánshēng	n.	boy student	10. 跑	pǎo	v.	to run
3. 女生	nǚshēng	n.	girl student	11. 默默	mòmò	adv.	silently, quietly
4. 害羞	hàixiū	adj.	shy, bashful	12. 按钮	ànniǔ	n.	button
5. 眼	yǎn	n.	eye	13. 摁	èn	v.	to press (with the hand or finger)
6. 除非	chúfēi	conj.	only if, unless	14. 回头	huí tóu	v.	to turn one's head, to turn around
7. 楼梯	lóutī	n.	stairs, staircase	15. 眼神	yǎnshén	n.	expression in one's eyes
8. 先	xiān	adv.	early, earlier, before	16. 学长	xuézhǎng	n.	senior male fellow student

3 Notes 注释

1. 除非你走楼梯比我先到8层，我才去。

The conjunction "除非" indicates the one and only condition, meaning "only if". It is often used together with "才".

2. 学长只能帮你这些了！

The adverb "只" means "only" and "nothing else".

4 Text 复述课文
retelling

昨天下午……，我在……的时候，来了……。

男生……说："晚上……？"女生……："除非……，我……。"

电梯来了，男生拔腿……。进了电梯，我默默地把……摁了一遍。

坐到7层我……，但是我……的眼神。出来后我……：学长……！

5 Text 译文
in English

Yesterday afternoon, I was waiting for the lift in the library after self-study when a boy and a girl came.

"Would you like to join me for some coffee tonight?" the boy whispered. The girl gave him a shy glance and said: "Only if you take the stairs and get to the 8th floor before me."

The lift came and the boy started to run upstairs. The minute we entered the lift, I pressed all the buttons from F2 to F7 without saying anything.

I left the lift on the 7th floor, but I never had the courage to turn around and see the girl's eyes. Outside the lift, I said to the boy in my mind: "Buddy, as your senior schoolmate, I did all I could to help you."

（一）除非……才…… 09-3

1.朗读下列句子，画出"除非"和"才"后面的词语。 Read the sentences aloud and underline the words or phrases after "除非" and "才".

Chúfēi nǐ zǒu lóutī bǐ wǒ xiān dào bā céng,
（1）除非你走楼梯比我先到8层，

wǒ cái qù.
我才去。

Chúfēi zuò shǒushù, nǐ de bìng cái néng hǎo.
（2）除非做手术，你的病才能好。

Chúfēi rèjí le, wǒ cái kāi yíhuìr kōngtiáo.
（3）除非热极了，我才开一会儿空调。

Chúfēi lǎobǎn qù gēn tā tán, tā cái kěnéng gēn
（4）除非老板去跟他谈，他才可能跟

wǒmen hézuò.
我们合作。

Chúfēi yíngle Shànghǎiduì, Běijīngduì cái yǒu kěnéng
（5）除非赢了上海队，北京队才有可能

jìnrù juésài.
进入决赛。

2.连线成句，然后朗读。 Draw lines to make sentences and then read the sentences aloud.

Xīngqītiān chúfēi èjí le
（1）星期天除非饿极了

chúfēi biǎntáotǐ téng de hěn lìhai
（2）除非扁桃体疼得很厉害

chúfēi dàishàng yǎnjìng
（3）除非戴上眼镜

chúfēi yǒu rén bāngzhù wǒ
（4）除非有人帮助我

chúfēi diànshìjù tèbié jīngcǎi
（5）除非电视剧特别精彩

nǎinǎi cái néng kàn qīngchu bàozhǐ shang de zì
奶奶才能看清楚报纸上的字

wǒ cái huì kàn
我才会看

wǒ cái néng bānzǒu zhège xiāngzi
我才能搬走这个箱子

dàifu cái huì gěi tā zuò shǒushù
大夫才会给他做手术

Lǐ Huá cái huì zuò fàn
李华才会做饭

（二）只 09-4

1.朗读下列句子，画出"只"后面的词语。 Read the sentences aloud and underline the words or phrases after "只".

Xuézhǎng zhǐ néng bāng nǐ zhèxiē le!
（1）学长只能帮你这些了！

Zhōngguócài wǒ zhǐ huì chī, bú huì zuò.
（2）中国菜我只会吃，不会做。

Wǒ de qiánbāo li zhǐ shèngxià wǔ kuài qián le.
（3）我的钱包里只剩下五块钱了。

Jīnnián zhè jiā wàiqǐ zhǐ zhāopìn yí ge rén.
（4）今年这家外企只招聘一个人。

Yí ge rén bù néng zhǐ kǎolǜ zìjǐ, hái yào wèi
（5）一个人不能只考虑自己，还要为

tārén zhuóxiǎng.
他人着想。

2.根据图片，用"只"完成句子，然后朗读。 Complete the sentences with "只" based on the pictures and then read the sentences aloud.

Jiàoshì li zhǐ yǒu yí ge rén.
（1）教室里只有一个人。

Wǒ bù xiǎng chī bié de.
（2）我_____，不想吃别的。

Zuótiān wǎnshang kàn qiúsài, Dàshuāng
（3）昨天晚上看球赛，大双_____。

Ālǐ jiù shuō de zhème hǎo.
（4）阿里_____，就说得这么好。

Lái Zhōngguó yǐhòu, Jīn Měiyīng
（5）来中国以后，金美英_____，

méi qùguo bié de dìfang.
没去过别的地方。

1. 空调	kōngtiáo	n.	air conditioner	
2. 谈	tán	v.	to talk, to speak, to chat	
3. 合作	hézuò	v.	to cooperate	
4. 进入	jìnrù	v.	to enter	
5. 决赛	juésài	n.	finals	
6. 钱包	qiánbāo	n.	purse, wallet	
7. 外企	wàiqǐ	n.	foreign enterprise
8. 招聘	zhāopìn	v.	to recruit, to invite applications for a job
9. 考虑	kǎolǜ	v.	to consider, to think over
10. 他人	tārén	pron.	other people, others
11. 着想	zhuóxiǎng	v.	to consider, to think about

7 Vocabulary and Chinese characters 学习词汇和汉字

1. 朗读下列词语，然后为它们选择相应的图片。Read the words aloud and then put them beside the right pictures.

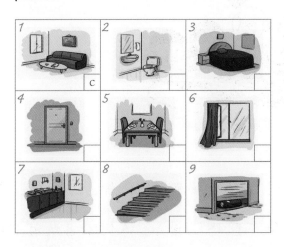

a. cāntīng 餐厅
b. chúfáng 厨房
c. kètīng 客厅
d. wòshì 卧室
e. wèishēngjiān/xǐshǒujiān 卫生间/洗手间
f. chēkù 车库
g. mén 门
h. chuānghu 窗户
i. lóutī 楼梯

2. 说说你家各个房间的位置。Talk about the rooms and their locations in your house or apartment.

Example：（1）Cāntīng zài kètīng de běibian. 餐厅 在 客厅 的 北边。　　（2）Wǒ jiā yǒu sān ge wòshì. 我 家 有 三 个 卧室。

3. 朗读下列汉字，然后根据共同部分给汉字分类，说说共同部分是什么意思。Read the characters aloud, group them based on the parts they share in common, and talk about the meanings of the common parts.

a. shì 士　b. tǔ 土　c. dù 肚　d. shì 室　e. zài 在　f. jí 吉
g. zuò 坐　h. shēng 声　i. zhì 志　j. yā 压　k. shè 社　l. jié 结

（1）士 _____ _____ _____ _____

（2）土 _____ _____ _____ _____ _____

8 Communicative activities 交际活动

1. 三人一组扮演课文中的角色一起去喝咖啡，编一段8－10句的对话，谈论坐电梯的事。Work in groups of three to play the roles in the text who drink coffee together. Make up a conversation about what happened at the lift in 8－10 sentences.

2. 说说你如何第一次向异性朋友提出约会的请求。Talk about your first experience asking somebody out.

Yǒuqù de xiéyīncí
有趣的谐音词
Interesting homophones

1 Text 课 文 借助生词表，快速浏览课文后：举例说明汉语的谐音词。 10-1

Give some examples for some homophones in Chinese. Skim through the text with the help of the list of new words.

Hànyǔ yǒu hěnduō xiéyīncí, tāmen de shǐyòng fǎnyìng
汉语有很多谐音词，它们的使用反映

chū yìxiē yǒuqù de Zhōngguó wénhuà xiànxiàng.
出一些有趣的中国文化现象。

Bǐrú Chūn Jié de shíhou, Zhōngguórén xǐhuan chī jī、
比如春节的时候，中国人喜欢吃鸡、

chī yú, yīnwèi "jī" hé "jí" xiéyīn, biǎoshì
吃鱼，因为"鸡"和"吉"谐音，表示

"jílì", "yú" hé "yú" xiéyīn, biǎoshì
"吉利"，"鱼"和"余"谐音，表示

"niánnián yǒu yú"; jiārén hé péngyou zhī jiān bù néng fēn
"年年有余"；家人和朋友之间不能分

lí chī, yīnwèi "fēn lí" hé "fēnlí" xiéyīn;
梨吃，因为"分梨"和"分离"谐音；

sòng péngyou lǐwù bù néng sòng zhōng, yīnwèi "sòng zhōng"
送朋友礼物不能送钟，因为"送钟"

hé "sòng zhōng" xiéyīn; rénmen bù xǐhuan yǒu "sì"
和"送终"谐音；人们不喜欢有"4"

de chēpái hé diànhuà hàomǎ, yīnwèi "sì" hé "sǐ"
的车牌和电话号码，因为"4"和"死"

xiéyīn.
谐音。

Xiéyīncí de shǐyòng shǐ Hànyǔ de biǎodá fēngfù
谐音词的使用使汉语的表达丰富

ér yǒuqù.
而有趣。

Answer the questions

回答问题

Hànyǔ de xiéyīncí duō ma?
1. 汉语的谐音词多吗？

Xiéyīncí yǒu shěnme yòng?
2. 谐音词有什么用？

Chūn Jié de shíhou, Zhōngguórén xǐhuan chī shénme?
3. 春节的时候，中国人喜欢吃什么？

Wèi shénme?
为什么？

Jiārén hé péngyou zhījiān wèi shénme bù néng fēn lí chī?
4. 家人和朋友之间为什么不能分梨吃？

Sòng péngyou lǐwù wèi shénme bù néng sòng zhōng?
5. 送朋友礼物为什么不能送钟？

Zhōngguórén wèi shénme bù xǐhuan yǒu "sì" de
6. 中国人为什么不喜欢有"4"的

chēpái、diànhuà hàomǎ?
车牌、电话号码？

Xiéyīncí duì Hànyǔ yǒu shénme hǎochù?
7. 谐音词对汉语有什么好处？

2 New words 生 词 🔊 10-2 ✏️

1. 谐音词	xiéyīncí	n. homophone, homonym
谐音	xiéyīn	v. to have the same or similar pronunciation
2. 反映	fǎnyìng	v. to reflect, to show, to manifest
3. 现象	xiànxiàng	n. phenomenon
4. 而	ér	conj. *used to express coordination by joining two parallel adjectives or other elements*
5. 鸡	jī	n. chicken
6. 鱼	yú	n. fish
7. 吉	jí	adj. lucky, auspicious
8. 余	yú	v. surplus, spare, remaining
9. 年年有余	niánnián yǒu yú	to have a surplus every year
10. 梨	lí	n. pear
11. 分离	fēnlí	v. to part, to leave
12. 钟	zhōng	n. clock
13. 送终	sòng zhōng	v. to look after a dying parent or other senior member of one's family, to pay one's last respects to sb.
14. 车牌	chēpái	n. license plate, number plate
15. 死	sǐ	v. to die, to be dead

3 Notes 注 释

1. 谐音词的使用使汉语的表达丰富而有趣。

Same as "让" and "叫", the verb "使" means "to cause (some behavior or situation to change)".

2. 谐音词的使用使汉语的表达丰富而有趣。

The conjunction "而" connects two words that complement each other. It can only be used between verbs or adjectives, but not between nouns.

4 Text 复述课文
retelling

汉语有……，它们的……反映出……。

比如……的时候，中国人喜欢……，因为……，表示……，"鱼"……谐音，表示……；家人和朋友之间……，因为……谐音；送朋友礼物……，因为……谐音；人们不喜欢……，因为……谐音。

谐音词的使用使……而……。

5 Text 译 文
in English

There are a lot of homophones in Chinese, the use of which gives expression to some interesting Chinese cultural phenomena.

For instance, Chinese people like to eat chicken and fish during the Spring Festival because *ji* (chicken) sounds like *ji* (good luck) and *yu* (fish) sounds exactly the same as *yu* (surplus). A pear cannot be shared between family members or friends since *fenli* (to share a pear) is a homophone of *fenli* (to part with each other); a clock cannot be given as a gift since *songzhong* (to give a clock) is a homophone of *songzhong* (to pay one's last respects); people don't like their license plate number or phone number to have a "4" in it as "4"(*si*) in Chinese sounds similar to *si* (to die).

The use of homophones makes Chinese more expressive and interesting.

（一）使 🔘 10-3 ✏️

1. 朗读下列句子，画出"使"后面的X和Y。 Read the sentences aloud and underline the parts X and Y after "使".

Xiéyīncí de shǐyòng shǐ Hànyǔ de biǎodá fēngfù ér yǒuqù.
（1）谐音词的使用 使<u>汉语的表达</u> <u>丰富而有趣</u>。
　　　　　　　　　　　　 X　　　　　 Y

Tā lěngbīngbīng de tàidù shǐ wǒ hěn shāngxīn.
（2）他 冷冰冰 的态度使我很 伤心。

Zhè bù diànshìjù shǐ tā hěn kuài jiù chūle míng.
（3）这部电视剧使她很 快就出了名。

Qìhòu biàn nuǎn shǐ rénmen rènshi dào bǎohù
（4）气候变 暖 使人们认识到保护
huánjìng hěn zhòngyào.
环境 很 重要。

Qiānxū shǐ rén jìnbù, jiāo'ào shǐ rén luòhòu.
（5）谦虚 使人进步，骄傲 使人落后。

2. 连词成句，然后朗读。 Rerrange the words and phrases to make sentences and then read them aloud.

érzi de xiǎngfǎ fēicháng shēngqì shǐ bàba
（1）儿子的想法 非常 生气 使 爸爸
Érzi de xiǎngfǎ shǐ bàba fēicháng shēngqì.
儿子的想法使爸爸非常 生气。

dàjiā zhège hǎo xiāoxi hěn xīngfèn shǐ dōu
（2）大家 这个好消息 很 兴奋 使 都

mánglù de shēnghuó hěn chōngshí wǒmen shǐ gǎndào
（3）忙碌的 生活 很 充实 我们 使 感到

hěn gǎndòng tóngshìmen de guānxīn wǒ shǐ
（4）很 感动 同事们的关心 我 使

yīnyuè biànde kěyǐ shǐ shēnghuó gèng kuàilè
（5）音乐 变得 可以 使 生活 更 快乐

（二）而 🔘 10-4 ✏️

1. 朗读下列句子，画出"而"前面和后面的词语。 Read the sentences aloud and underline the words or phrases connected by "而".

Xiéyīncí de shǐyòng shǐ Hànyǔ de biǎodá fēngfù ér yǒuqù.
（1）谐音词的使用 使汉语的表达<u>丰富</u>而<u>有趣</u>。

Zhèli de rénmen rèqíng ér yǒuhǎo.
（2）这里的人们 热情而友好。

Tǔlǔfān shì ge shénmì ér měilì de dìfang.
（3）吐鲁番是个神秘而美丽的地方。

Zhège dìfang de qìhòu wēnnuǎn ér shīrùn.
（4）这个地方的气候 温暖 而湿润。

Lúndūn gēn Běijīng yíyàng, dōu shì gǔ lǎo ér
（5）伦敦 跟北京一样，都是古老而
xiàndài de chéngshì.
现代的 城市。

2. 根据图片和提示词语，用"而"造句，然后朗读。 Make sentences with "而" based on the pictures and cue words, and then read the sentences aloud.

Xīnjiāng de gūniang měilì ér rèqíng.　　　　　　　　 měilì rèqíng
（1）___新疆 的姑娘美丽而热情_____。（美丽 热情）

qīngchu liúlì
（2）_____。（清楚 流利）

jiǎndān yōumò
（3）_____。（简单 幽默）

piányi hǎokàn
（4）_____。（便宜 好看）

zhěngqí gānjìng
（5）_____。（整齐 干净）

1. 出名	chū míng	v.	famous, well-known	8. 友好	yǒuhǎo	adj.	friendly, nice
2. 暖	nuǎn	adj.	warm	9. 神秘	shénmì	adj.	mysterious
3. 谦虚	qiānxū	adj.	modest, self-effacing	10. 美丽	měilì	adj.	beautiful
4. 进步	jìnbù	v.	to advance, to progress	11. 温暖	wēnnuǎn	adj.	warm
5. 骄傲	jiāo'ào	adj.	arrogant, conceited	12. 湿润	shīrùn	adj.	humid, moist
6. 落后	luòhòu	v.	to fall behind, to lag behind	13. 古老	gǔlǎo	adj.	old, ancient
7. 热情	rèqíng	adj.	enthusiastic, zealous				

7 Vocabulary and Chinese characters 学习词汇和汉字

1. 朗读下列词语，然后为它们选择相应的图片。Read the words aloud and then put them beside the right pictures.

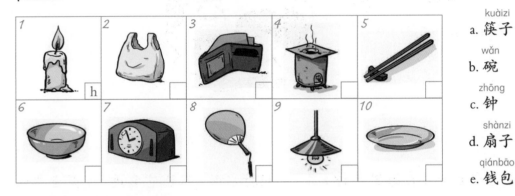

kuàizi a. 筷子	pánzi f. 盘子
wǎn b. 碗	dēng g. 灯
zhōng c. 钟	làzhú h. 蜡烛
shànzi d. 扇子	huǒlú i. 火炉
qiánbāo e. 钱包	sùliàodài j. 塑料袋

2. 为上面的词语加上数词和量词。Match each of the nouns above with a numeral and a measure word.

liǎng shuāng kuàizi
Example：两 双 筷子

3. 朗读下列汉字，然后根据共同部分给汉字分类，说说共同部分是什么意思。Read the characters aloud, group them according to the common parts they have, and then talk about the meanings of the common parts.

shè	bèi	ǎo	fú	kù	shén	shān
a. 社	b. 被	c. 袄	d. 福	e. 裤	f. 神	g. 衫

chèn	zǔ	páo	lǐ	qún	shì	
h. 衬	i. 祖	j. 袍	k. 礼	l. 裙	m. 视	

（1）社 _____ _____ _____ _____

（2）被 _____ _____ _____ _____

8 Communicative activities 交际活动

1. 跟同伴编一段介绍汉语同音词的对话。（8－10句）Work in pairs to make up a conversation about Chinese homophones in 8－10 sentences.

2. 说说你们的语言中有哪些同音词，这些同音词可能产生什么误会。Name some homophones in your native language. Talk about the misunderstandings they may cause.

Hǎitún hé shāyú

海豚和鲨鱼

The dolphins and the shark

1 Text 课 文 借助生词表，快速浏览课文后回答问题：海豚做了什么？  11-1

What did the dolphins do? Skim through the text with the help of the list of new words and then answer the question.

Yí wèi bàba dàizhe nǚ'ér zài hǎi li yóu yǒng,
一位爸爸带着女儿在海里游泳，

zhèng yóu de gāoxìng, tūrán yóu guòlai jǐ tiáo hǎitún.
正 游得高兴，突然游过来几条海豚。

Hǎitún bǎ tāmen jǐnjǐn de wéi zài zhōngjiān, bú ràng
海豚把他们紧紧地围在中间，不让

tāmen chūqu.
他们出去。

Bàba zhèng juéde qíguài, tūrán kàndào yì tiáo
爸爸正觉得奇怪，突然看到一条

dà shāyú cháo tāmen yóu guòlai. Tāmen fāxiàn,
大鲨鱼朝他们游过来。他们发现，

zhǐyào dà shāyú yóu guòlai, hǎitúnmen jiù yònglì de
只要大鲨鱼游过来，海豚们就用力地

pāidǎ shuǐmiàn, bú ràng tā kàojìn. Dà shāyú chángshìle
拍打水面，不让它靠近。大鲨鱼尝试了

hǎo jǐ cì dōu shībài le, zuìhòu zhǐhǎo shīwàng de
好几次都失败了，最后只好失望地

líkāi le.
离开了。

Děng dà shāyú yóu de hěn yuǎn le, zhèxiē kě'ài
等 大鲨鱼游得很远了，这些可爱

de hǎitún cái ràng bàba hé nǚ'ér yóu chūqu, bìngqiě
的海豚才让爸爸和女儿游出去，并且

yìzhí gēn zài hòumiàn, bǎ tāmen sòngdào ànbiān.
一直跟在后面，把他们送到岸边。

Answer the questions

回答问题

Bàba dàizhe nǚ'ér zuò shénme?
1. 爸爸带着女儿做什么？

Tūrán fāshēngle shénme shì?
2. 突然发生了什么事？

Hǎitún zuòle shénme?
3. 海豚做了什么？

Bàba tūrán kàndàole shénme?
4. 爸爸突然看到了什么？

Dà shāyú yóu guòlai de shíhou hǎitún zuòle shénme?
5. 大鲨鱼游过来的时候海豚做了什么？

Zuìhòu, dà shāyú zěnmeyàng le?
6. 最后，大鲨鱼怎么样了？

Shénme shíhou hǎitún cái ràng bàba hé nǚ'ér yóu chūqu?
7. 什么时候海豚才让爸爸和女儿游出去？

Tāmen yóu chūqu yǐhòu, hǎitún hái zuòle shénme?
8. 他们游出去以后，海豚还做了什么？

1. 海	hǎi	n.	sea, ocean		9. 水面	shuǐmiàn	n.	surface of the water
2. 游	yóu	v.	to swim		10. 靠近	kàojìn	v.	to draw near, to approach
3. 海豚	hǎitún	n.	dolphin		11. 尝试	chángshì	v.	to try, to attempt
4. 紧紧	jǐnjǐn		closely, firmly, tightly		12. 好	hǎo	adv.	*used before certain time or numeral indicators to suggest a large number or a long time*
5. 鲨鱼	shāyú	n.	shark		13. 失望	shīwàng	v.	to disappoint
6. 朝	cháo	prep.	facing, towards		14. 可爱	kě'ài	adj.	lovely, lovable, cute
7. 用力	yòng lì	v.	to use one's strength, to exert oneself		15. 并且	bìngqiě	conj.	furthermore, in addition
8. 拍打	pāidǎ	v.	to pat, to beat		16. 岸边	ànbiān	n.	bank, shore, coast
拍	pāi	v.	to pound, to pat, to clap, to beat					

Notes 注 释

1. 一条大鲨鱼朝他们游过来。

The preposition "朝" indicates that the noun or pronoun after it is the direction of an action.

2. 只要大鲨鱼游过来，海豚们就用力地拍打水面

The structure "只要X，就Y" (provided X, then Y) means that as long as the condition X is met, the result Y will come about with no doubt.

Text 复述课文
retelling

爸爸……，正……，突然……。海豚把他们……，不让……。

爸爸正……，突然看到……。他们发现，只要……，海豚们就……，不让……。大鲨鱼……，最后只好……。

等大鲨鱼……，这些……才……，并且……，把他们……。

Text 译 文
in English

A father took his daughter swimming in the sea. They were having a good time when suddenly several dolphins came around and surrounded them in a ring, leaving them no way out.

The father felt curious until he saw a huge shark swimming towards them. Whenever the shark tried to reach them, the dolphins slapped the surface of the water so hard that the shark couldn't get closer. After several vain attempts, the shark left disappointedly.

Not until the shark went far away did the lovable dolphins let the father and the daughter go. They escorted the two all the way to the shore.

（一）**朝** 🔘 11-3 ✏️

1. **朗读下列句子，画出"朝"后面的词语。** Read the sentences aloud and underline the words or phrases after "朝".

Yì tiáo dà shāyú cháo tāmen yóu guòlai.
（1）一条大鲨鱼朝<u>他们游过来</u>。

Jǐngchá wēixiàozhe cháo wǒ zhāozhao shǒu, ràng wǒ
（2）警察 微笑着 朝我招招 手，让我
bǎ chē tíngxià.
把车停下。

Tā kànle kàn shǒubiǎo, jiāojí de cháo ménkǒu wàngqù.
（3）他看了看 手表，焦急地朝 门口 望去。

Nín cháo nán zǒu yì bǎi mǐ, jiù yǒu yí ge dìtiězhàn.
（4）您 朝 南走一百米，就有一个地铁站。

Tā gāngà de cháo wǒ xiàole xiào, shuō: "Duìbuqǐ,
（5）他尴尬地朝我笑了笑，说："对不起，
wǒ rèncuò rén le."
我认错人了。"

2. **根据图片和提示词语，用"朝"完成句子，然后朗读。** Complete the sentences with "朝" based on the pictures and cue words and phrases, and then read the sentences aloud.

Tāmen zǒuchū shāngchǎng, cháo kāfēiguǎnr zǒuqù. kāfēiguǎnr zǒuqù
（1）他们 走出 商场，___<u>朝咖啡馆儿走去</u>___。（咖啡馆儿 走去）

Tā tīngdào yǒu rén hǎn tā, jiù hòumiàn kànqù
（2）他听到 有人喊他，就_____。（后面 看去）

Yào shàng kè le, tóngxuémen jiàoshì pǎoqù
（3）要 上课了，同学们_____。（教室 跑去）

Yòu'éryuán mén yì kāi, háizimen jiù zìjǐ de bàba māma pǎoqù
（4）幼儿园 门一开，孩子们就_____。（自己的爸爸妈妈 跑去）

dì-yī ge lùkǒu zuǒ guǎi, jiù shì Xuéyuàn Lù yóujú. běi zǒu
（5）_____，第一个路口左拐，就是学院 路邮局。（北 走）

（二）**只要X，就Y** 🔘 11-4 ✏️

1. **朗读下列句子，画出X和Y。** Read the sentences aloud and underline the parts X and Y.

Zhǐyào dà shāyú yóu guòlai, hǎitúnmen jiù yònglì de pāidǎ shuǐmiàn.
（1）只要<u>大鲨鱼游过来</u>，海豚们就<u>用力地拍打 水面</u>。
　　　　　X　　　　　　　　　　Y

Zhǐyào yǒu shíjiān, tā jiù huì qù gū'éryuàn zuò yìgōng.
（2）只要 有时间，他就会去孤儿院做义工。

Zhǐyào shì qùguo Hángzhōu de rén, jiù yídìng huì xǐhuan shàng Xī Hú.
（3）只要是去过 杭州 的人，就一定会喜欢上 西湖。

Zhǐyào shì jīnzi jiù huì fāguāng.
（4）只要是金子就会发光。

Zhǐyào wǒ dāying de shì, jiù yídìng
（5）只要我答应的事，就一定
yào zuòdào.
要做到。

2. **用"只要……就……"组句，然后朗读。** Make sentences with "只要……就……" and then read the sentences aloud.

yí fèn hǎo gōngzuò tā hěn mǎnzú
（1）一份好 工作 她 很满足
Zhǐyào yǒu yí fèn hǎo gōngzuò, tā jiù hěn mǎnzú.
只要有一份好 工作，她就很满足。

qù pá shān wǒmen míngtiān bú xià yǔ
（2）去爬山 我们 明天不下雨

hé tā zài yìqǐ gǎndào hěn xìngfú wǒ
（3）和他在一起 感到很幸福 我

huì bāng máng qù zhǎo tā
（4）会 帮 忙 去找他

wǒmen bú huì fàngqì yǒu yìdiǎnr xīwàng
（5）我们 不会放弃 有一点儿希望

Supplementary new words 扩展生词 11-5

1. 招手	zhāo shǒu	v.	to wave (one's hand)	
2. 手表	shǒubiǎo	n.	wristwatch	
3. 焦急	jiāojí	adj.	anxious	
4. 尴尬	gāngà	adj.	awkward, embarrassed	
5. 孤儿院	gū'éryuàn	n.	orphanage	

	孤儿	gū'ér	n.	orphan
6. 义工	yìgōng	n.	voluntary worker
7. 金子	jīnzi	n.	gold
8. 发光	fāguāng	v.	to shine, to glow

Proper noun 专有名词

西湖　Xī Hú　West Lake, a lake in the city of Hangzhou

7 Vocabulary and Chinese characters 学习词汇和汉字

1. 朗读下列词语，然后把它们填到图中相应的位置。Read the words aloud and then put them beside the right pictures.

gǒu　　　māo　　　xióngmāo
a. 狗　　b. 猫　　c. 熊猫
jī　　　yú　　　hǎitún
d. 鸡　　e. 鱼　　f. 海豚
niǎo　　shāyú　　mǔjī
g. 鸟　　h. 鲨鱼　　i. 母鸡
yáng
j. 羊(sheep)
niú
k. 牛(cattle)

2. 为上面的词语加上数词和量词。
Match each of the nouns above with a numeral and a measure word.

liǎng zhī gǒu
Example：两 只 狗

3. 读下列汉字，然后根据共同部分给汉字分类，说说共同部分是什么意思。Read the characters aloud, group them based on the parts they share in common, and talk about the meanings of the common parts.

diǎn　　huī　　shāo　　zhǔ　　shú　　lú　　rè
a. 点　　b. 灰　　c. 烧　　d. 煮　　e. 熟　　f. 炉　　g. 热
zhú　　liè　　yān　　dēng　　zhào　　tàng　　jiāo
h. 烛　　i. 烈　　j. 烟　　k. 灯　　l. 照　　m. 烫　　n. 焦

（1）点 _____ _____ _____ _____

（2）灰 _____ _____ _____ _____

8 Communicative activities 交际活动

1. 三四人一组，编一段爸爸、女儿和海豚的对话。Work in groups of three or four to make up a conversation between the father, the daughter and the dolphins.

2. 描述一下你喜欢的动物或植物，并说说你为什么喜欢它。Describe an animal or a plant you like and tell the reasons why you like it.

Shénme yě méi zuò

什么也没做

I did nothing

 12-1

1 **Text** 课 文　借助生词表，快速浏览课文后回答问题：妻子今天做什么了？

What did the wife do today? Skim through the text with the help of the list of new words and then answer the question.

Zhàngfu xià bān huí jiā, chījīng de fāxiàn, jiāli
丈夫 下班回家，吃惊地发现，家里

shízài tài luàn le! Háizimen liǎnshang、shēnshang dōu
实在太乱了！孩子们 脸上、身上 都

hěn zāng; dìtǎn shang duīmǎnle zāng yīfu; chúfáng li,
很脏；地毯上 堆满了脏衣服；厨房里，

lián wǎn dōu méiyǒu xǐ.
连碗 都 没有 洗。

　　Jiāli jiūjìng fāshēngle shénme shì? Tā jímáng
　　家里究竟发生了什么事？他急忙

bēnxiàng wòshì, kànjiàn qīzi zhèng yōuxián de tǎng zài
奔向 卧室，看见妻子正 悠闲地躺在

chuáng shang fān xiàngcè.
床 上 翻相册。

　　Zhàngfu jīngqí de wèn: "Jīntiān jiāli zěnme
　　丈夫惊奇地问："今天家里怎么

le?" Qīzi déyì de huídá shuō: "Nǐ měi tiān
了？"妻子得意地回答说："你每天

xià bān, zǒngshì wèn 'jīntiān nǐ zài jiāli zuòle
下班，总是问'今天你在家里做了

shénme', xiànzài nǐ kàndào le, jīntiān wǒ shénme
什么'，现在你看到了，今天我什么

yě méi zuò."
也没做。"

Answer the questions

回答问题

　　Zhàngfu xià bān huí jiā fāxiànle shénme?
1. 丈夫 下班回家发现了什么？

　　Háizimen shì shénme yàngzi?
2. 孩子们是什么 样子？

　　Chúfáng li shì shénme yàngzi?
3. 厨房 里是什么 样子？

　　Qīzi zài nǎr? Tā zhèng zài zuò shénme?
4. 妻子在哪儿？她 正 在做什么？

　　Zhàngfu měi tiān xià bān wèn qīzi shénme?
5. 丈夫 每天下班 问妻子什么？

　　Qīzi měi tiān dōu zuò shénme?
6. 妻子每天都 做 什么？

　　Qīzi jīntiān zuò shénme le?
7. 妻子今天做什么了？

2 New words 生词 12-2

1. 吃惊	chī jīng	v.	to be surprised, to be amazed or shocked	
2. 家里	jiāli		in the family, at home	
3. 实在	shízài	adv.	really, in all conscience	
4. 脸上	liǎnshang		on one's face	
脸	liǎn	n.	face	
5. 身上	shēnshang		on one's body	
6. 地毯	dìtǎn	n.	carpet, rug	
7. 堆满	duīmǎn		to be piled with, to be stacked with	
8. 究竟	jiūjìng	adv.	(used in questions for emphasis) actually, exactly	
9. 急忙	jímáng	adv.	in a hurry, in a rush	
10. 奔向	bēnxiàng		to run towards, to rush for	
奔	bēn	v.	to run, to rush	
11. 床	chuáng	n.	bed	
12. 翻	fān	v.	to turn (over, up, upside down, inside out, etc.)	
13. 相册	xiàngcè	n.	photo album	
14. 惊奇	jīngqí	adj.	surprised, amazed	

3 Notes 注释

1. 厨房里，连碗都没有洗。

In the structure "连……都……(even…)", the word or phrase after "连" is a typical example of its kind. The structure emphasizes that even the typical thing or situation is like this, not to mention others. Sometimes "连……也……" is used instead.

2. 你每天下班，总是问"今天你在家里做了什么"

The adverb "总是" means "constantly" and "always".

4 Text retelling 复述课文

　　丈夫……，吃惊……，家里……！孩子们……；地毯上……；厨房里，连……都……。

　　家里究竟……？他急忙……，看见……正悠闲地……。

　　丈夫……地问："今天……？"妻子……说："你……，总是问'……'，现在……，今天我……。"

5 Text in English 译文

　　When the husband got back home from work, he was astonished to find the house in a total mess. The children were dirty from head to toe, soiled clothes were scattered about on the carpet, and even dishes were left unwashed in the kitchen.

　　What happened? He hurried to the bedroom and saw his wife lying on the bed looking through a photo album leisurely.

　　The husband asked in amazement: "What happened to the house today?" "Every day when you come home, you would ask me 'What did you do today'. Look, today I did nothing," the wife answered.

（一）连……都/也…… 12-3

1. 朗读下列句子，画出"连"和"都/也"后面的词语。 Read the sentences aloud and underline the words or phrases after "连" and "都/也" respectively.

Chúfáng li,　lián wǎn dōu méiyǒu xǐ.
（1）厨房 里，连 碗 都 没有 洗。

Bàba lián fàn yě méi chī jiù zǒu le.
（2）爸爸连饭也没吃就走了。

Tā sǎngzi téng de lián yí jù huà yě shuō bu chūlai le.
（3）她嗓子疼得连一句话也说不出来了。

Shuǐxīng suīrán bèi chēngwéi "shuǐxīng",　shíjìshang
（4）水星 虽然被 称为 "水星"，实际上

nàli　lián yì dī shuǐ dōu méiyǒu.
那里连一滴水都 没有。

Wǒ lián zuò mèng dōu méiyǒu xiǎngdào, wǒmen jìngrán
（5）我 连 做 梦 都 没有 想到，我们 竟然

huì zài hǎiwài xiāngyù.
会在海外 相遇。

2. 根据图片，用"连……都/也……"完成句子，然后朗读。 Complete the sentences with "连……都/也……" based on the pictures and then read the sentences aloud.

Xiǎo Liú shénme dōu bù xǐhuan,　lián diànyǐng dōu bú kàn.
（1）小 刘 什么 都 不喜欢，连 电影 都 不看。

Jiějie huídào jiā,　fāxiàn
（2）姐姐回到家，发现＿＿＿＿＿＿＿＿＿。

Tā mángle yì tiān,
（3）她忙了一天，＿＿＿＿＿＿＿＿＿＿。

Xiǎo Wáng zài Běijīng zhùle shí nián le,
（4）小 王 在北京 住了十 年了，＿＿＿＿＿。

Běnjiémíng gāng dào Zhōngguó de shíhou,
（5）本杰明 刚 到 中国 的 时候，＿＿＿＿＿。

（二）总是  12-4

1. 朗读下列句子，画出"总是"后面的动词或短语。 Read the sentences aloud and underline the verbs or phrases after "总是".

Zhàngfu zǒngshì wèn qīzi: "Jīntiān nǐ zài jiāli
（1）丈夫 总是 问妻子："今天你在家里

zuòle shénme?"
做了 什么？"

Xiǎo Zhāng chūmén de shíhou zǒngshì bēizhe nàge
（2）小 张 出门 的 时候总是背着那个

hēisè de bēibāo.
黑色 的 背包。

Měi tiān shàng kè tā zǒngshì zuò zài　dì-yī pái.
（3）每 天 上 课他总是 坐在第一排。

Wǒ yìzhí xiǎng rènshi tā,　dàn zǒngshì méiyǒu jīhuì.
（4）我一直想 认识她，但 总是 没有机会。

Suízhe shèhuì de fāzhǎn,　yǔyán yě zǒngshì zài
（5）随着社会的发展，语言也总是在

búduàn de fāzhǎn biànhuà.
不断 地发展 变化。

2. 连线成句，然后朗读。 Draw lines to make sentences and then read the sentences aloud.

Dīngshān měi tiān bú zuò bié de
（1）丁山 每 天不做别的

zuìjìn gōngzuò yālì tài dà
（2）最近工作压力太大

Xiǎo Wáng de xiǎngfǎ
（3）小 王 的 想法

tā měi tiān qǐ de hěn zǎo
（4）他每 天起得很早

jiějie zài Xīnjiāng bànnián le
（5）姐姐在新疆 半年了

zǒngshì dì-yī ge dào bàngōngshì
总是 第一个到 办公室

zǒngshì bù xíguàn nàli de shēnghuó
总是 不习惯那里的 生活

zǒngshì shàng wǎng
总是 上 网

zǒngshì gēn dàjiā bù yíyàng
总是 跟大家不一样

wǒ zǒngshì shuì bu zháo
我 总是 睡不着

1. 实际上	shíjìshang	adv.	in fact, actually	
实际	shíjì	adj./n.	practical, realistic; reality, actual case	
2. 那里	nàli	pron.	there	
3. 滴	dī	m.	drop	
4. 海外	hǎiwài	n.	overseas, abroad	
5. 相遇	xiāngyù	v.	to meet, to come across	
6. 背包	bēibāo	n.	backpack, knapsack	
7. 机会	jīhuì	n.	chance, opportunity	
8. 随着	suízhe	prep.	along with, following	
9. 不断	búduàn	adv.	unceasingly, continuously	
10. 变化	biànhuà	v.	to change	

7 Vocabulary and Chinese characters 学习词汇和汉字

1. 朗读下列词语，然后为它们选择相应的图片。Read the words aloud and then put them beside the right pictures.

chènyī
a. 衬衣   f. 毛衣 máoyī

màozi
b. 帽子   g. 裤子 kùzi

bēibāo
c. 背包   h. 眼镜 yǎnjìng

xiàngliàn
d. 项链   i. 领带 lǐngdài

shǒubiǎo
e. 手表   j. 运动鞋 yùndòngxié

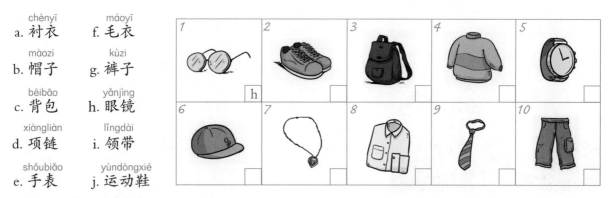

2. 说说与衣着搭配的动词和它们的颜色。Match everything one wears with a color and describe how one wears it using a suitable verb.

Chuān lánsè de máoyī, dài hēisè de màozi.
Example：穿蓝色的毛衣，戴黑色的帽子。

3. 朗读下列常用汉字，并组词。Read the common characters below and make words with them. 12-6

shōu	gēn	gān/gàn	zào	yán	lián	chí	zǔ	měi	jì
收	根	干	造	言	联	持	组	每	济
chē	qīn	jí	lín	fú	kuài	bàn	yì	wǎng	yuán
车	亲	极	林	服	快	办	议	往	元
yīng	shì	zhèng	jìn	shī	zhuǎn	fū	lìng	zhǔn	bù
英	士	证	近	失	转	夫	令	准	布
shǐ	zěn	ne	cún	wèi	yuǎn	jiào	tái	dān	yǐng
始	怎	呢	存	未	远	叫	台	单	影
jù	luó	zì	ài	jī	liú	bèi	bīng	lián	diào/tiáo
具	罗	字	爱	击	流	备	兵	连	调

8 Communicative activities 交际活动

1. 跟同伴编一段丈夫和妻子的对话，说说妻子每天都做些什么。（8－10句）Work in pairs to make up a conversation between the husband and wife in 8－10 sentences to talk about what the wife does every day.

2. 说说在你们国家，丈夫和妻子在家里怎么分工。Talk about the different roles husbands and wives usually play in your country.

Lǎoniánrén de xiūxián shēnghuó

老年人的休闲生活

Senior citizens' leisure life

1 Text 课 文 借助生词表，快速浏览课文后回答问题：中国的老年人喜欢做什么？ 13-1

What do senior citizens in China like to do? Skim through the text with the help of the list of new words and then answer the question.

Zài Zhōngguó, lǎoniánrén de xiūxián fāngshì fēngfù duōcǎi.
在 中国，老年人的休闲方式丰富多彩。

Zǎoshang, tāmen xǐhuan zài gōngyuán li huódòng, yǒude dǎ
早上，他们喜欢在 公园里活动，有的打

tàijíquán, yǒude chàng jīngjù, yǒude liàn shūfǎ.
太极拳，有的 唱京剧，有的练书法。

Báitiān, yìxiē lǎorén xǐhuan qù lǎonián dàxué xuéxí huìhuà,
白天，一些老人喜欢去老年大学学习绘画、

shūfǎ, shèyǐng, xìqǔ děng, hái yǒu yìxiē lǎorén jīngcháng wéi zài
书法、摄影、戏曲等，还有一些老人 经常 围在

yìqǐ xià xiàngqí, dǎ májiàng.
一起下象棋、打麻将。

Wǎnshang, hěn duō lǎorén zài jiāli yìbiān kàn diànshì, yìbiān
晚上，很多老人在家里一边看电视，一边

hé jiārén liáotiānr; yě yǒu yí bùfen lǎorén qù guǎngchǎng tiàowǔ.
和家人聊天儿；也有一部分老人去 广场 跳舞。

Zhōumò, lǎorén chángcháng hé érsūnmen zài yìqǐ, chī fàn,
周末，老人 常常 和儿孙们在一起，吃饭、

guàng gōngyuán, jiāoyóu, huòzhě qù kàn yǎnchū, tīng xiàngsheng,
逛 公园、郊游，或者去看演出、听 相声，

xiǎngshòu tiānlúnzhīlè.
享受 天伦之乐。

Answer the questions

回答问题

Zhōngguó lǎoniánrén de xiūxián fāngshì duō ma?
1. 中国 老年人的休闲 方式多吗？

Zǎoshang, lǎorénmen zài gōngyuán li zuò shénme?
2. 早上，老人们 在 公园里做什么？

Lǎorénmen qù lǎonián dàxué xué shénme?
3. 老人们 去老年大学学 什么？

Lǎorénmen jīngcháng wéi zài yìqǐ zuò shénme?
4. 老人们 经常 围在一起做什么？

Wǎnshang lǎorénmen zuò shénme?
5. 晚上 老人们 做什么？

Zhōumò lǎorénmen chángcháng zuò shénme?
6. 周末 老人们 常常 做什么？

2 New words 生词 🎧 13-2 ✎

1. 老年人	lǎoniánrén	n. old people, senior citizen	8. 戏曲	xìqǔ n. traditional Chinese opera
老年	lǎonián	n. old age	9. 下	xià v. to play (a board game)
2. 休闲	xiūxián	v. to be not working, to have leisure	10. 象棋	xiàngqí n. (Chinese) chess
3. 丰富多彩	fēngfù duōcǎi	rich and colorful, full of variety	11. 麻将	májiàng n. mahjong
4. 活动	huódòng	v. to move about, to exercise	12. 一边……一边……	yìbiān……yìbiān…… indicating two actions taking place at the same time
5. 练	liàn	v. to practice, to train, to drill	13. 广场	guǎngchǎng n. square, plaza
6. 绘画	huìhuà	v. to draw a picture, to paint	14. 郊游	jiāoyóu v. to go on an outing or excursion to the suburbs
7. 摄影	shèyǐng	v. to take a photo	15. 天伦之乐	tiānlúnzhīlè family love and happiness

3 Notes 注 释

1. 他们喜欢在公园里活动，有的打太极拳，有的唱京剧，有的练书法。

   The structure "有的……有的……" (some...some...) enumerates different cases.

2. 很多老人在家里一边看电视，一边和家人聊天儿

   The structure "一边……一边……" indicates that two behaviors or actions take place at the same time.

4 Text 复述课文

retelling

在中国，老年人的……。

早上，他们喜欢……，有的……，有的……，有的……。

白天，一些老人……学习……、……、……、……等，还有一些老人……、……。

晚上，很多老人……一边……，一边……；也有一部分老人……。

周末，老人常常……一起，吃饭、……、……，或者去……、……，享受……。

5 Text 译 文

in English

In China, senior citizens take part in a good variety of recreational activities.

In the morning, they enjoy doing exercise in parks, some play *taijiquan* (shadow boxing), some sing *jingju* and others practice calligraphy.

During the day, some of them go to colleges for seniors to learn painting, calligraphy, photography and traditional opera, etc., and some gather together to play chess or mahjong.

In the evening, many seniors stay at home watching TV and chatting with their family, although others may go dancing at the squares.

Seniors usually spend weekends with their children and grandchildren, together with whom they go out for a meal, take a walk in a park, go for an outing, watch a stage performance or listen to a crosstalk. Time spent with family makes them happy.

（一）有的……有的…… 🔘 13-3 ✏️

1. **朗读下列句子，画出"有的"后面的词语。** Read the sentences aloud and underline the words or phrases after "有的".

Tāmen xǐhuan zài gōngyuán li huódòng, yǒude dǎ tàijíquán, yǒude chàng jīngjù, yǒude liàn shūfǎ.
（1）他们喜欢在 公园里活动，有的打太极拳，有的唱京剧，有的练书法。

Wǒ de péngyoumen xìnggé dōu bù yíyàng, yǒude nèixiàng, yǒude wàixiàng.
（2）我的 朋友们 性格都不一样，有的内向，有的外向。

Duì zhège jìhuà, tóngshìmen yǒude tóngyì, yǒude fǎnduì.
（3）对这个计划，同事们 有的同意，有的反对。

Chūn Jié qījiān, Zhōngguórén yòng gè zhǒng fāngfǎ bài nián, yǒude dǎ diànhuà, yǒude fā duǎnxìn, yǒude qù jiāli bài nián.
（4）春 节期间，中国人 用各种 方法拜年，有的打电话，有的发短信，有的去家里拜年。

Měi ge rén de shēnghuó tàidù dōu bù yíyàng, yǒude rènwéi jiātíng zuì zhòngyào, yǒude rènwéi shìyè zuì zhòngyào,
（5）每个人的 生活态度都不一样，有的认为家庭最 重要，有的认为事业最 重要，
yǒude rènwéi cáifù zuì zhòngyào.
有的认为财富最 重要。

2. **根据提示词语完成句子，然后朗读。** Complete the sentences based on the cue words and phrases, and then read the sentences aloud.

Jiàoshì li, xuéshengmen yǒude zài xiě zì, yǒude zài tīng lùyīn, yǒude zài shuì jiào. xiě zì tīng lùyīn shuì jiào
（1）教室里，学生们 有的在写字，有的在听录音，有的在睡 觉。（写字 听录音 睡觉）

Dìtiě shang, rénmen wánr shǒujī tīng yīnyuè kàn bàozhǐ
（2）地铁上，人们_____，_____，_____。（玩儿手机 听音乐 看报纸）

Jiàqī dào le, tóngxuémen dǎ gōng lǚyóu zhǔnbèi kǎoshì
（3）假期到了，同学们_____，_____，_____。（打工 旅游 准备考试）

Zhège diànyǐng, guānzhòngmen xǐhuan bù xǐhuan
（4）这个电影，观众们_____，_____。（喜欢 不喜欢）

（二）一边……一边…… 🔘 13-4 ✏️

1. **朗读下列句子，画出"一边"后面的词语。** Read the sentences aloud and underline the words or phrases after "一边".

Hěn duō lǎorén zài jiāli yìbiān kàn diànshì, yìbiān hé jiārén liáotiānr.
（1）很 多老人在家里一边看电视，一边和家人聊天儿。

Zhāng Xīn yìbiān zǒu lù yìbiān kàn shǒujī, yíxiàzi zhuàngdàole shù shang.
（2）张 新一边走路一边看手机，一下子 撞到了树 上。

Zài Lǎoshě Cháguǎnr, rénmen yìbiān hē chá yìbiān tīng xiàngsheng.
（3）在老舍茶馆儿，人们一边喝茶一边听 相声。

Yǒuxiē rén xǐhuan yìbiān chī fàn yìbiān tán shēngyi.
（4）有些人喜欢一边吃饭一边谈 生意。

Tīng Zhōngwén jiǎngzuò de shíhou, yìbiān tīng yìbiān jì néng tígāo Hànyǔ shuǐpíng.
（5）听 中文 讲座的时候，一边听一边记能提高汉语 水平。

2. **根据图片完成句子，然后朗读。** Complete the sentences based on the pictures and then read the sentences aloud.

Dàwèi yìbiān shàng xué yìbiān dǎ gōng.
（1）大卫 一边上 学一边打工 。

Lǎo Lǐ
（2）老李_____。

Mǎ jīnglǐ
（3）马经理_____。

Huǒchē shang, Yú Huá
（4）火车 上，于华_____。

1. 内向	nèixiàng	adj.	introverted	7. 拜年	bài nián	v.	to pay a New Year call, to send New Year greetings
2. 外向	wàixiàng	adj.	extroverted	8. 财富	cáifù	n.	wealth, riches
3. 计划	jìhuà	n.	plan, project	9. 茶馆儿	cháguǎnr	n.	teahouse
4. 同意	tóngyì	v.	to agree, to approve	10. 有些	yǒuxiē	pron.	some, part
5. 反对	fǎnduì	v.	to oppose, to be against	11. 记	jì	v.	to remember, to recall
6. 期间	qījiān	n.	period, duration				

Proper nouns 专有名词

1. 老舍茶馆儿	Lǎoshě Cháguǎnr	Lao She Teahouse, a teahouse in Beijing	2. 老舍	Lǎoshě	Lao She (1899–1966), a Chinese novelist and playwright

7 Vocabulary and Chinese characters 学习词汇和汉字

1. 朗读下列词语，然后为它们选择相应的图片。Read the words aloud and then put them beside the right pictures.

tóngnián lǎonǎinai xiǎopéngyǒu
a. 童年 b. 老奶奶 c. 小朋友

háizi niánqīngrén xiǎohuǒzi
d. 孩子 e. 年轻人 f. 小伙子

értóng lǎoniánrén qīngnián
g. 儿童 h. 老年人 i. 青年 (youth)

lǎorén lǎonián zhōngnián
j. 老人 k. 老年 l. 中年 (middle age)

qīngniánrén
m. 青年人 (young people)

zhōngniánrén
n. 中年人 (middle-aged people)

h、j、k

2. 说说你家谁是儿童、青年人、中年人、老年人。Describe your family members using "儿童" (children), "青年人" (young people), "中年人" (middle-aged people) and "老年人" (old people).

3. 朗读下列词语，然后根据"老"的意思给词语分类。Read the words aloud and then group them based on the meanings of "老".

lǎorén lǎo Běijīng lǎobǎn lǎonǎinai gǔlǎo lǎoniánrén lǎonián lǎoshī
a. 老人 b. 老北京 c. 老板 d. 老奶奶 e. 古老 f. 老年人 g. 老年 h. 老师

（1）老板 _____　　（2）老人 _____ _____ _____ _____

8 Communicative activities 交际活动

1. 三四人一组，扮演老年人，讨论选择什么休闲方式。Work in groups of three or four to play senior citizens talking about each other's entertainment choices.

2. 说说你们国家的老年人和年轻人都有哪些休闲方式。Talk about the ways of entertainment for old and young people respectively in your country.

Qīngzàng   tiělù
青藏铁路
Qinghai-Tibet Railway

1 Text 课 文　借助生词表，快速浏览课文后回答问题：在青藏铁路的火车上可以看到什么？ 14-1

What can a passenger see from a train on the Qinghai-Tibet Railway? Skim through the text with the help of the list of new words and then answer the question.

Qīngzàng tiělù shì shìjiè shang zuì cháng、 zuì gāo de tiělù,   tā dōng
青藏 铁路是世界上 最长、最高的铁路，它东

qǐ Qīnghǎi Xīníng Shì, nán dào Xīzàng Lāsà Shì, cháng yìqiān jiǔbǎi wǔshíliù
起青海西宁市，南到西藏拉萨市， 长   1956

gōnglǐ,   zuì gāo de dìfang hǎibá wǔqiān líng qīshí'èr mǐ.
公里，最高的地方海拔   5072   米。

Qīngzàng tiělù yánxiàn de fēngjǐng fēicháng piàoliang. Rénmen zuò zài
青藏 铁路沿线的风景 非常 漂亮。人们 坐在

huǒchē shang, kěyǐ kàndào měilì de Yùzhū Fēng, yě kěyǐ kàndào shìjiè
火车 上，可以 看到美丽的玉珠 峰，也可以 看到世界

shang hǎibá zuì gāo de dànshuǐhú —— Cuònà Hú,   yàoshi xìngyùn dehuà,
上 海拔最高的淡水湖——措那湖，要是 幸运的话，

shènzhì kěyǐ kàndào zhēnxī de zànglíngyáng.
甚至可以看到珍稀的 藏羚羊。

Qīngzàng tiělù   jiāqiángle Xīzàng yǔ qítā shěng de jiāoliú,
青藏 铁路加强了西藏与其他省 的交流，

cùjìnle   Xīzàng de fāzhǎn.
促进了西藏的发展。

Answer the questions

回答问题

Qīngzàng tiělù shì yì tiáo shénmeyàng de tiělù?
1. 青藏 铁路是一条 什么样 的铁路？

Qīngzàng tiělù yǒu duō cháng? Duō gāo?
2. 青藏 铁路有多 长? 多高?

Qīngzàng tiělù yánxiàn de fēngjǐng zěnmeyàng?
3. 青藏 铁路沿线的风景 怎么样?

Rénmen zuò zài huǒchē shang kěyǐ kàndào shénme?
4. 人们 坐在火车 上可以看到 什么?

Qīngzàng tiělù yǒu shénme hǎochù?
5. 青藏 铁路有 什么 好处?

New words 生词 🔘 14-2 ✏️

1. 铁路	tiělù	n.	railway, railroad	9. 珍稀	zhēnxī	adj.	precious and rare
2. 海拔	hǎibá	n.	height above sea level, elevation	10. 藏羚羊	zànglíngyáng	n.	Tibetan antelope
3. 沿线	yánxiàn	n.	along the line	11. 加强	jiāqiáng	v.	to strengthen, to enhance
4. 淡水湖	dànshuǐhú	n.	freshwater lake	12. 与	yǔ	prep.	with, and
5. 要是	yàoshi	conj.	if, suppose	13. 其他	qítā	pron.	other, else
6. 幸运	xìngyùn	adj.	lucky, fortunate	14. 省	shěng	n.	province
7. 的话	dehuà	part.	*used at the end of a conditional clause*	15. 促进	cùjìn	v.	to promote, to accelerate
8. 甚至	shènzhì	conj.	even, so far as to				

Proper nouns 专有名词

1. 青藏	Qīngzàng	Qinghai-Tibet	5. 拉萨市	Lāsà Shì	Lhasa, capital of Tibet Autonomous Region
2. 青海	Qīnghǎi	Qinghai Province	6. 玉珠峰	Yùzhū Fēng	Mount Yuzhu of Kunlun Mountains
3. 西宁市	Xīníng Shì	Xining, capital of Qinghai Province	7. 措那湖	Cuònà Hú	Cuona Lake, a freshwater lake in Anduo County, Tibet
4. 西藏	Xīzàng	Tibet Autonomous Region			

Notes 注释

1. 要是幸运的话

The particle "……的话" is used in an assumptive clause, usually preceded by "如果", "要是" or "假如". It is often used in spoken Chinese.

2. 甚至可以看到珍稀的藏羚羊。

The adverb "甚至" introduces an outstanding fact, implying something further.

Text 复述课文 retelling

青藏铁路是……，它东起……西宁市，南到……拉萨市，长……公里，最高的地方海拔……。

青藏铁路……。人们……，可以……玉珠峰，也可以……海拔……——措那湖，要是……的话，甚至……珍稀的藏羚羊。

青藏铁路加强了……与……的交流，促进了……。

Text 译文 in English

The Qinghai-Tibet Railway is the longest and highest rail line in the world. It extends 1,956 kilometers from its eastern end, in the city of Xining in Qinghai Province, to its south end in the city of Lhasa in Tibet. The highest point on the line is 5,072 meters above sea level.

The railway passes through an enchanting landscape. From a train window, you can see the beautiful Mount Yuzhu, Cuona Lake, the freshwater lake with the highest altitude in the world, and even the rare Tibetan antelopes if you're lucky enough.

The Qinghai-Tibet Railway has strengthened the communication between Tibet and other provinces of China and promoted the development of Tibet.

（一）……的话 14-3

1. 朗读下列句子，画出"的话"前面的词语。Read the sentences aloud and underline the words or phrases before "的话".

（1）<u>要是 幸运</u> 的话，甚至 可以 看到
Yàoshi xìngyùn dehuà, shènzhì kěyǐ kàndào
珍稀的 藏羚羊。
zhēnxī de zànglíngyáng.

（2）要是 怕 后悔 的话，你 再 考虑 一下。
Yàoshi pà hòuhuǐ dehuà, nǐ zài kǎolǜ yíxià.

（3）你 要是 能 和 刘教授 见 面 的话，
Nǐ yàoshi néng hé Liú jiàoshòu jiàn miàn dehuà,

qǐng tì wǒ wènhòu tā.
请 替 我 问候 他。

（4）你 如果 想 刷卡 的话，请 去 3 号 收银台。
Nǐ rúguǒ xiǎng shuā kǎ dehuà, qǐng qù sān hào shōuyíntái.

（5）如果 你 不 放 心 的话，你 再 提 醒 他 一下 吧。
Rúguǒ nǐ bú fàng xīn dehuà, nǐ zài tí xǐng tā yíxià ba.

2. 连线成句，然后朗读。Draw lines to make sentences and then read the sentences aloud.

（1）要是 你 不 忙 的话
yàoshi nǐ bù máng dehuà

（2）你 要是 嗓子 一直 疼 的话
nǐ yàoshi sǎngzi yìzhí téng dehuà

（3）要是 你 喜欢 这 张 CD 的话
yàoshi nǐ xǐhuan zhè zhāng dehuà

（4）如果 怕 堵 车 的话
rúguǒ pà dǔ chē dehuà

（5）如果 你 到 北京 的话
rúguǒ nǐ dào Běijīng dehuà

最好 去 医院 看看
zuìhǎo qù yīyuàn kànkan

我们 就 坐 地铁 去 吧
wǒmen jiù zuò dìtiě qù ba

我 就 送 给 你 吧
wǒ jiù sòng gěi nǐ ba

一定 要 跟 我 联系 啊
yídìng yào gēn wǒ liánxì a

咱们 再 聊 一会儿
zánmen zài liáo yíhuìr

（二）甚至 14-4

1. 朗读下列句子，画出"甚至"后面的词语。Read the sentences aloud and underline the words or phrases after "甚至".

（1）要是 幸运 的话，甚至 <u>可以 看到 珍稀 的 藏羚羊</u>。
Yàoshi xìngyùn dehuà, shènzhì kěyǐ kàndào zhēnxī de zànglíngyáng.

（2）因为 刮 台风，今天 上午 的 船 可能 推迟 到 下午，甚至 明天。
Yīnwèi guā táifēng, jīntiān shàngwǔ de chuán kěnéng tuīchí dào xiàwǔ, shènzhì míngtiān.

（3）这 几 年 这里 的 经济 不但 没有 发展，甚至 出现了 倒退。
Zhè jǐ nián zhèlǐ de jīngjì búdàn méiyǒu fāzhǎn, shènzhì chūxiànle dàotuì.

（4）为了 来 中国 学习 中文，他 甚至 放弃了 国内 的 工作。
Wèile lái Zhōngguó xuéxí Zhōngwén, tā shènzhì fàngqìle guónèi de gōngzuò.

（5）南极 非常 冷，最低 温度 甚至 达到 零 下 九十四 点 二 摄氏度。
Nánjí fēicháng lěng, zuì dī wēndù shènzhì dádào líng xià jiǔshísì diǎn èr shèshìdù.

2. 把"甚至"放入句中正确的位置，然后朗读。Put "甚至" in the right positions and then read the sentences aloud.

（1）_a_ 我们 这儿 的 人 _b_ 都 会 游 泳，ⓒ 六七岁 的 小孩儿 _d_ 都 会。
wǒmen zhèr de rén dōu huì yóu yǒng, liù qī suì de xiǎoháir dōu huì.

（2）_a_ 在 中国，_b_ 能 刷 卡 的 地方 越来越 多，_c_ 一些 小饭馆儿 _d_ 也 可以 刷卡。
zài Zhōngguó, néng shuā kǎ de dìfang yuèláiyuè duō, yìxiē xiǎo fànguǎnr yě kěyǐ shuā kǎ.

（3）丁 大夫 _a_ 累极 了，_b_ 连 饭 _c_ 都 不 想 吃 _d_ 。
Dīng dàifu lèijí le, lián fàn dōu bù xiǎng chī

（4）_a_ 时间 长 了，我 _b_ 连 他 的 名字 _c_ 都 忘 了 _d_ 。
shíjiān cháng le, wǒ lián tā de míngzi dōu wàng le

（5）莫斯科 的 冬天 _a_ 很 冷，_b_ 气温 一般 在 零下 二十 多 度，最冷 的 时候 _c_ 达到
Mòsīkē de dōngtiān hěn lěng, qìwēn yìbān zài líng xià èrshí duō dù, zuì lěng de shíhou dádào
_d_ 零下 四十 度。
líng xià sìshí dù.

1. 怕	pà	v.	to fear, to be afraid	
2. 后悔	hòuhuǐ	v.	to regret, to feel remorse	
3. 替	tì	prep.	for, on behalf of	
4. 收银台	shōuyíntái	n.	cashier counter	
5. 提醒	tíxǐng	v.	to remind, to warn	

6. 台风	táifēng	n.	typhoon	
7. 船	chuán	n.	ship, boat	
8. 倒退	dàotuì	v.	to go backwards, to retrograde	
9. 国内	guónèi	n.	internal, domestic, home	
10. 南极	nánjí	n.	Antarctic	

7 Vocabulary and Chinese characters 学习词汇和汉字

1. 朗读下列词语，然后为它们选择相应的图片。Read the words aloud and then put them beside the right pictures.

a. 海边 hǎibiān   f. 沙漠 shāmò

b. 山 shān   g. 桥 qiáo

c. 陆地 lùdì   h. 河 hé

d. 海洋 hǎiyáng   i. 铁路 tiělù

e. 岸边 ànbiān   j. 淡水湖 dànshuǐhú

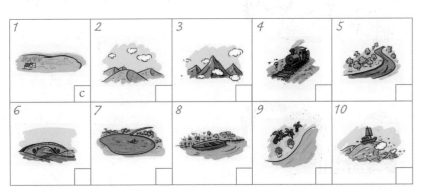

2. 画一个地形图，给你的同伴讲讲你画的是什么。Draw a topographic map and tell your partner what you've drawn.

3. 朗读下列词语，然后根据"年"的意思给词语分类。Read the words and phrases aloud and then group them based on the meanings of "年".

a. 今年 jīnnián   b. 年龄 niánlíng   c. 童年 tóngnián   d. 年轻 niánqīng   e. 拜年 bàinián   f. 年年 有余 niánnián yǒu yú

g. 年长 niánzhǎng   h. 几十年如一日 jǐshí nián rú yí rì   i. 老年人 lǎoniánrén   j. 明年 míngnián   k. 新年(New Year) xīnnián

（1）今年 _____ _____ _____

（2）年龄 _____ _____ _____ _____

（3）拜年 _____

8 Communicative activities 交际活动

1. 跟同伴编一段介绍青藏铁路的对话。（8－10句）Work in pairs to make up a conversation about the Qinghai-Tibet Railway in 8－10 sentences.

2. 说说在你们国家出行你会选择什么交通工具。为什么？Which means of transportation do you choose when traveling in your own country? Why?

Dìqiú yì xiǎoshí
地球一小时
Earth Hour

---

1 **Text** 课 文 借助生词表，快速浏览课文后回答问题：地球一小时，人们都可以做什么？ 🔘 15-1 ✏️

What can people do during the Earth Hour? Skim through the text with the help of the list of new words
and then answer the question.

"Dìqiú yì xiǎoshí", shì èr líng líng qī nián kāishǐ de yí xiàng
"地球一小时"，是 2007 年开始的一项

quánqiúxìng huánjìng bǎohù huódòng.
全球性 环境保护活动。

Wèile jiǎnshǎo tàn páifàng, Shìjiè Zìrán Jījīnhuì fāqǐle
为了减少碳排放，世界自然基金会发起了

zhè xiàng huódòng, chàngyì rénmen zài měi nián sān yuè zuìhòu yí ge
这项 活动，倡议人们在每年3月最后一个

Xīngqīliù wǎnshang bā diǎn bàn dào jiǔ diǎn bàn, xī dēng yí ge xiǎoshí.
星期六晚上 八点半到九点半，熄灯一个小时。

Xī dēng yì xiǎoshí, wǒmen kěyǐ zuò shénme ne?
熄灯一小时，我们可以做什么呢？

Wǒmen huòzhě zài jiāli xiǎngshòu zhúguāng wǎncān; huòzhě hé
我们 或者在家里享受 烛光 晚餐；或者和

háizimen yìqǐ yóuxì, dùguò qīnzǐ shíguāng; huòzhě hé péngyou
孩子们一起游戏，度过亲子时光；或者和朋友

yìqǐ tán xīn、jiǎng gùshi; wǒmen hái kěyǐ dàishàng shípǐn、yǐnliào
一起谈心、讲故事；我们还可以带上食品、饮料

dào gōngyuán li jù cān; huòzhě chūmén sàn bù……
到 公园里聚餐；或者 出门 散步……

Péngyou, nǐ xuǎnzé zuò shénme ne?
朋友，你选择做 什么呢？

Answer the questions

回答问题

"Dìqiú yì xiǎoshí" shì nǎ yì nián kāishǐ de huódòng?
1. "地球一小时"是哪一年开始的活动？

Wèi shénme yào jìnxíng "dìqiú yì xiǎoshí" huódòng?
2. 为 什么要进行 "地球一小时"活动？

Duō cháng shíjiān jìnxíng yí cì "dìqiú yì xiǎoshí" huódòng?
3. 多 长 时间进行一次"地球一小时"活动？

"Dìqiú yì xiǎoshí" huódòng zài nǎ yì tiān、shénme shíjiān?
4. "地球一小时"活动在哪一天、什么时间？

Wèi shénme jiào "dìqiú yì xiǎoshí"?
5. 为 什么叫"地球一小时"？

Xī dēng yì xiǎoshí, wǒmen kěyǐ zuò shénme?
6. 熄灯一小时，我们可以做什么？

Xī dēng yì xiǎoshí, nǐ huì zuò shénme?
7. 熄灯一小时，你会做什么？

1. 项	xiàng	m.	*used for itemized things*
2. 全球性	quánqiúxìng	adj.	global, worldwide
全球	quánqiú	n.	entire globe, whole world
3. 减少	jiǎnshǎo	v.	to reduce, to decrease, to lessen
4. 碳排放	tàn páifàng		carbon emission, carbon footprint
碳	tàn	n.	carbon
排放	páifàng	v.	to discharge, to release
5. 基金会	jījīnhuì	n.	foundation
基金	jījīn	n.	fund
6. 发起	fāqǐ	v.	to initiate, to sponsor
7. 倡议	chàngyì	v.	to propose, to advocate, to call for
8. 熄灯	xī dēng	v.	to turn off the light
9. 烛光	zhúguāng	n.	candlelight
10. 晚餐	wǎncān	n.	dinner, supper
11. 度过	dùguò	v.	to spend, to pass
12. 亲子	qīnzǐ	n.	parents and children
13. 时光	shíguāng	n.	time
14. 谈心	tán xīn	v.	to have a heart-to-heart talk
15. 食品	shípǐn	n.	food, foodstuff
16. 聚餐	jù cān	v.	to dine together, to have a dinner party
17. 选择	xuǎnzé	v.	to choose, to select

Proper noun 专有名词

世界自然基金会　Shìjiè Zìrán Jījīnhuì　World Wildlife Fund

3 Notes 注 释

1. 或者和孩子们一起游戏，度过亲子时光；或者和朋友一起谈心、讲故事

The conjunction "或者" (or) connects options to choose from. It can appear twice or more in one sentence.

2. 我们还可以带上食品、饮料到公园里聚餐

The structure "v. + 上" indicates that the object is added to something through an action denoted by a verb. This is an extended usage of "上".

4 Text 复述课文

retelling

　　"地球一小时"，是……开始的一项……。

　　为了……碳排放，世界自然基金会发起了……，倡议人们在每年3月……，熄灯……。

　　熄灯一小时，我们……？

　　我们或者……；或者和……，度过……；或者和朋友……、……；我们还可以……到……；或者……

　　　朋友，你……？

5 Text 译 文

in English

Earth Hour is a worldwide environmental event which first took place in 2007.

This event was initiated by the World Wildlife Fund to reduce humans, carbon footprint. It advocates that people keep their lights off between 20:30 and 21:30 on the last Saturday of March every year.

What can we do during that hour?

At home, we can enjoy a candlelight dinner, play games with our children, or chat and share stories with our friends; we can also take some food and drinks to a park for a dinner party or go out for a walk…

What would you like to do, my friend?

（一）或者A或者B  15-3

1. 朗读下列句子，画出"或者"后面的词语。Read the sentences aloud and underline the words or phrases after "或者".

Wǒmen huòzhě hé háizimen yìqǐ yóuxì, dùguò qīnzǐ shíguāng; huòzhě hé péngyou yìqǐ tán xīn, jiǎng gùshi.
（1）我们 或者和孩子们一起游戏，度过亲子时光；或者和 朋友一起谈心、讲故事。

Wǒ jīntiān xiàwǔ huòzhě míngtiān shàngwǔ qù bàn qiānzhèng.
（2）我今天下午或者 明天 上午 去办 签证。

Hànyǔ de yīnjié, shēngdiào bù tóng yìsi jiù bù tóng, bǐrú "qi", kěyǐ shì "qī"、"qí"、"qǐ" huòzhě "qì".
（3）汉语的音节，声调 不同意思就不同，比如"qi"，可以是"七"、"骑"、"起"或者"气"。

Wǒmen huòzhě qù chī zhōngcān, huòzhě qù chī xīcān, dōu kěyǐ.
（4）我们 或者去吃 中餐，或者去吃西餐，都可以。

Huòzhě wǒmen qù nǐ nàr, huòzhě nǐ lái wǒmen zhèr, yóu nǐ juédìng ba.
（5）或者 我们去你那儿，或者你来我们这儿，由你决定吧。

2. 选择合适的词语填空，然后朗读。Choose proper words or expressions from the ones given to fill in the blanks and then read the sentences aloud.

mǎi a. 买
zuò dìtiě b. 坐地铁
gěi wǒ fā duǎnxìn c. 给我发短信
Xīngqīyī d. 星期一
kàn shū e. 看书

Wǎnshang, wǒ zài jiā huòzhě kàn diànshì, huòzhě
（1）晚上， 我在家或者看 电视，或者 _e_ 。

Nǐ yǒu shì de huà, huòzhě gěi wǒ dǎ diànhuà, huòzhě
（2）你有事的话，或者给我打电话，或者___。

Nǐ huòzhě kāi chē huòzhě yídìng yào zài sān diǎn qián dào gōngsī.
（3）你或者开车或者___，一定要在三 点前到公司。

Zhè jiàn yīfu nǐ huòzhě bù mǎi, kuài diǎnr juédìng ba.
（4）这 件衣服你___或者不买，快点儿决定吧。

Xià xīngqī wǒmen bān jiā, huòzhě huòzhě Xīngqī'èr.
（5）下星期我们搬家，或者___，或者星期二。

（二）v. + 上 15-4

1. 朗读下列句子，画出"上"前面的动词。Read the sentences aloud and underline the verbs before "上".

Wǒmen hái kěyǐ dàishàng shípǐn、yǐnliào dào gōngyuán li jù cān.
（1）我们 还可以 带上食品、饮料到 公园 里聚餐。

Tiānqì hěn lěng, nǐ chū mén qián dàishàng màozi ba.
（2）天气很冷，你出 门 前 戴上 帽子吧。

Tā xǐhuan zài bàngōngshì bǎishàng huāpíng, chāshàng yìxiē huār.
（3）她喜欢在 办公室 摆上 花瓶，插上 一些 花儿。

Gōngzuò rényuán ràng tā tiánshàng
（4）工作 人员 让他 填上

shēnfènzhèng hàomǎ.
身份证 号码。

Tā chuānshàng hūnshā gèng piàoliang le.
（5）她 穿上 婚纱 更 漂亮了。

2. 根据图片和提示词语，用"v. + 上"完成句子，然后朗读。Complete the sentences with "v. + 上" based on the pictures and the cue words and phrases, and then read the sentences aloud.

Qǐng xiěshàng nǐ de dìzhǐ hé diànhuà hàomǎ.
（1）___请 写上 你的地址和 电话 号码___。

qǐng xiě nǐ de dìzhǐ hé diànhuà hàomǎ
（请 写 你的地址和 电话 号码）

（2）_____。

qǐng zài zhèlǐ tián hùzhào hàomǎ
（请 在这里 填 护照号码）

bǎ sǎn dài
（3）_____。（把 伞 带）

bǎ dàyī chuān
（4）_____。（把 大衣 穿）

1. 办签证 bàn qiānzhèng to apply for a visa	7. 花瓶 huāpíng n. vase
办 bàn v. to do, to handle, to manage	8. 插 chā v. to insert, to stick in
签证 qiānzhèng n. visa	9. 工作人员 gōngzuò rényuán working personnel, staff member
2. 音节 yīnjié n. syllable	10. 填 tián v. to write, to fill in, to fill out
3. 声调 shēngdiào n. tone	11. 身份证 shēnfènzhèng n. ID card
4. 中餐 zhōngcān n. Chinese food	身份 shēnfèn n. identity
5. 西餐 xīcān n. Western food	12. 婚纱 hūnshā n. wedding dress
6. 摆 bǎi v. to put, to place	

7 Vocabulary and Chinese characters 学习词汇和汉字

1. 朗读下列词语，然后为它们选择相应的图片。Read the words aloud and then put them beside the right pictures.

a. xiàngqí 象棋
b. jīngjù 京剧
c. gāngqín 钢琴
d. fēngzheng 风筝
e. xiàngsheng 相声
f. huàjù 话剧
g. xiǎotíqín 小提琴
h. diànyǐng 电影
i. shūfǎ 书法
j. yīnyuè 音乐

2. 说说你或家人、朋友的爱好。
Talk about your hobbies or the hobbies of your family members or friends.

3. 给下列汉字加上拼音并朗读，然后画出各组汉字中笔画不同的地方。Write down the *pinyin* of the characters and read them aloud. Then look at each group or pair of the characters and mark the differences in their strokes.

(1) jiǎ 甲 电 由   (3) 方 万

(2) 天 夫 无 失   (4) 只 兄

8 Communicative activities 交际活动

1. 三四人一组，讨论在"地球一小时"活动中你们会怎么做。Work in groups of three or four. Discuss what each of you can do during the Earth Hour.

2. 利用网络预先查查关于"地球一小时"的资料，说说这一小时都能做什么。Do some research online about the Earth Hour and talk about what one can do during the Earth Hour.

Mǔqīn   shuǐjiào
母亲水窖
Water Cellars for Mothers

1 Text 课 文 借助生词表，快速浏览课文后回答问题：什么是"母亲水窖"？ 16-1

What are "Water Cellars for Mothers"? Skim through the text with the help of the list of new words and then answer the question.

Zhōngguó xībù shì shìjiè shang zuì gānhàn de dìfang
中国 西部是世界上 最干旱的地方

zhī yī. Zhèxiē nián,   zhèlǐ de nánrén dàdōu qù dà
之一。这些年，这里的男人大都去大

chéngshì dǎ gōng le,   jiālǐ zhǐ shèngxià fùnǚ láodòng.
城市 打工了，家里只 剩下 妇女劳动。

Wèile   qǔdé shēnghuó yòngshuǐ, tāmen bù dé bù měi tiān
为了取得生活 用水，她们不得不每天

zǒu jǐ shí gōnglǐ shānlù,   fēicháng xīnkǔ.
走几十公里山路，非常辛苦。

Wèile jiǎnqīng fùnǚ qǔ shuǐ de fùdān, èr líng líng yī
为了减轻妇女取水的负担，2001

nián Zhōngguó kāishǐ shíshī   "mǔqīn shuǐjiào" gōngchéng.
年 中国开始实施"母亲水窖"工程。

"Mǔqīn shuǐjiào" jiù shì zài dìxià xiūjiàn de shuǐjiào,
"母亲水窖" 就是在地下修建的水窖，

shōují   yǔshuǐ,   gōng shēnghuó shǐyòng.
收集雨水，供 生活 使用。

Dào èr líng yī yī nián,   "mǔqīn shuǐjiào" gōngchéng
到 2011 年，"母亲水窖" 工程

yígòng   xiūjiànle shí'èr diǎn bā wàn ge shuǐjiào,   jiějuéle
一共 修建了 12.8 万个水窖，解决了

yìbǎi bāshí wàn rén de shēnghuó yòngshuǐ wèntí.
180 万人 的 生活 用水 问题。

Answer the questions

回答问题

Zhōngguó xībù shì yí ge shénmeyàng de dìfang?
1. 中国 西部是一个什么样 的地方？

Zhèxiē nián,   zhèlǐ de qíngkuàng zěnmeyàng?
2. 这些年，这里的 情况 怎么样？

Wèile qǔdé shēnghuó yòngshuǐ,   fùnǚmen yào
3. 为了取得 生活 用水，妇女们要

zuò shénme?
做 什么？

Zhōngguó shénme shíhou kāishǐ shíshī   "mǔqīn
4. 中国 什么 时候 开始 实施"母亲

shuǐjiào" gōngchéng?
水窖"工程？

Wèi shénme yào shíshī   "mǔqīn shuǐjiào" gōngchéng?
5. 为 什么 要实施"母亲水窖"工程？

"Mǔqīn shuǐjiào" shì shénme?
6. "母亲水窖" 是什么？

Dào èr líng yī yī nián, gòng xiūjiànle duōshao ge mǔqīn shuǐjiào?
7. 到 2011 年，共修建了多少 个母亲水窖？

Zhè jiějuéle duōshao rén de shēnghuó yòngshuǐ wèntí?
8. 这解决了多少人的 生活 用水 问题？

2 New words 生词 16-2

1. 西部	xībù	n.	the western part of a country	11. 实施	shíshī	v. to put into effect, to implement

1. 西部　xībù　n.　the western part of a country
2. 干旱　gānhàn　adj.　dry, arid
3. 妇女　fùnǚ　n.　women
4. 劳动　láodòng　v.　to work
5. 取得　qǔdé　v.　to get, to obtain
6. 生活用水　shēnghuó yòngshuǐ　domestic water, water for daily activities
7. 不得不　bù dé bù　have to, have no choice but
8. 山路　shānlù　n.　mountain path
9. 减轻　jiǎnqīng　v.　to lighten, to lessen, to alleviate
10. 负担　fùdān　n.　burden, load

11. 实施　shíshī　v.　to put into effect, to implement
12. 母亲　mǔqīn　n.　mother
13. 水窖　shuǐjiào　n.　water cellar
14. 工程　gōngchéng　n.　project, program
15. 地下　dìxià　n.　underground
16. 修建　xiūjiàn　v.　to build, to construct
17. 收集　shōují　v.　to collect, to gather
18. 雨水　yǔshuǐ　n.　rainwater
19. 供　gōng　v.　for (the use or convenience of)

3 Notes 注释

1. 这里的男人大都去大城市打工了

The adverb "大都" means "most" and "the majority of".

2. 为了取得生活用水，她们不得不每天走几十公里山路

The expression "不得不" means "have to (do something)". It uses double negatives to express an affirmative meaning.

4 Text retelling 复述课文

中国西部是……之一。这些年，这里的男人大都……，家里只……。为了……，她们不得不……，非常……。

为了减轻……，2001年……工程。"母亲水窖"就是……，收集……，供……。

到2011年，"母亲水窖"工程一共……，解决了……万人的……。

5 Text in English 译文

The western part of China is one of the driest areas in the world. Over the recent years, most of the men here have gone to work in big cities, leaving all the housework to women. Every day, women have to walk dozens of kilometers of mountain paths to fetch domestic water, which is really hard.

To reduce the burden on women, China launched a project called "Water Cellars for Mothers" in 2001. "Water Cellars for Mothers" are cellars built underground to collect rainwater for daily use.

By 2011, about 128,000 "Water Cellars for Mothers" have been built, relieving 1.8 million people's want for domestic water.

（一）大都  16-3

1. 朗读下列句子，画出"大都"后面的词语。Read the sentences aloud and underline the words or phrases after "大都".

Zhèli de nánrén dàdōu qù dà chéngshì dǎ gōng le.
（1）这里的男人大都<u>去大城市打工了</u>。

Zhōngguó běifāng rén dàdōu ài chī jiǎozi.
（2）中国 北方人大都爱吃饺子。

Zhèli mài de shuǐguǒ dàdōu shì jìn kǒu de.
（3）这里卖的水果大都是进口的。

Rénmen dàdōu bù zhīdào lājī shì lùdì wūrǎn
（4）人们 大都不知道垃圾是陆地污染

de zuì dà wèntí.
的最大问题。

Zhōngguórén dàdōu xǐhuan zài jiéjiàrì jié hūn, zhèyàng
（5）中国人 大都喜欢在节假日结婚，这样

qīnqi、 péngyou jiù yǒu shíjiān cānjiā hūnlǐ le.
亲戚、朋友就有时间参加婚礼了。

2. 把"大都"放入句中正确的位置，然后朗读。Put "大都" in the right positions and then read the sentences aloud.

tāmen gōngsī de kèhù shì Zhōngguórén.
（1）__a__ 他们公司的 __b__ 客户 __c__ 是 中国人。

xiàtiān zhèli de bīnguǎn hěn guì.
（2）__a__ 夏天 __b__ 这里的宾馆 __c__ 很贵。

hěn duō dà chéngshì bàngwǎn shí huì dǔ chē.
（3）__a__ 很多大城市 傍晚 时 __b__ 会 __c__ 堵车。

gěi tā xiě xìn de rén shì nǚháir.
（4）__a__ 给他 __b__ 写信的人 __c__ 是女孩儿。

zhè běn shū de kèwén hěn yōumò
（5）__a__ 这本书的课文 __b__ 很幽默 __c__ 。

（二）不得不 16-4

1. 朗读下列句子，画出"不得不"后面的词语。Read the sentences aloud and underline the words or phrases after "不得不".

Wèile qǔdé shēnghuó yòngshuǐ, tāmen bù dé bù
（1）为了取得 生活 用水，她们不得不

měi tiān zǒu jǐ shí gōnglǐ shānlù.
<u>每天走几十公里山路</u>。

Zhège yùndòngyuán shòu shāng le, tā bù dé bù
（2）这个 运动员 受 伤 了，他不得不

fàngqì zhè cì bǐsài.
放弃这次比赛。

Fēijī wǎn diǎn le, wǒmen de jìhuà bù dé bù tuīchí.
（3）飞机晚点了，我们的计划不得不推迟。

Zhè jiàn shì tài nán bàn le, wǒ bù dé bù lái máfan nǐ.
（4）这件事太难办了，我不得不来麻烦你。

Wǒ yǒu diǎnr jíshì, bù dé bù xiān zǒu yíhuìr.
（5）我有点儿急事，不得不先走一会儿。

2. 根据图片和提示词语，用"不得不"完成句子，然后朗读。Complete the sentences with "不得不" based on the pictures and the cue words and phrases, and then read the sentences aloud.

Tíngdiàn le, tā bù dé bù diǎnshàng làzhú.
（1）停电了，她____不得不 点上 蜡烛____。

diǎnshàng làzhú
（点上 蜡烛）

Xiǎo Lǐ de biǎntáotǐ jīngcháng fāyán
（2）小李的扁桃体 经常 发炎，_____。

qiēdiào
（切掉）

Jīntiān bàba de chēhuài le, tā
（3）今天爸爸的车坏了，他_____。

zuò dìtiě shàng bān
（坐地铁 上 班）

Jiāli shénme chī de yě méiyǒu le, wǒmen
（4）家里什么吃的也没有了，我们_____。

chūqu chī fàn
（出去 吃饭）

Wáng jìzhě shízài pǎo bu dòng le
（5）王 记者实在跑不动了，_____。

tíng xiàlai xiūxi yíhuìr
（停下来 休息一会儿）

1.	北方	běifāng	n.	the northern part of a country	7.	受伤	shòu shāng	v.	to be injured, to be wounded
2.	进口	jìn kǒu	v.	to import	8.	晚点	wǎn diǎn	v.	(of a train, plane, etc.) to be late, to be behind schedule
3.	垃圾	lājī	n.	rubbish, garbage	9.	难办	nán bàn		difficult to deal with
4.	节假日	jiéjiàrì	n.	festivals and holidays	10.	麻烦	máfan	v.	to trouble, to bother
5.	亲戚	qīnqi	n.	relative, kinsfolk	11.	急事	jíshì	n.	emergency, urgent matter
6.	婚礼	hūnlǐ	n.	wedding ceremony					

7 Vocabulary and Chinese characters 学习词汇和汉字

1. 为下列反义词连线。Match the antonyms.

róngyì	fùzá		niánzhǎng	yùmèn
容易	复杂		年长	郁闷
yíyàng	kōng		mánglù	niánqīng
一样	空		忙碌	年轻
mǎn	nán		nèixiàng	yōuxián
满	难		内向	悠闲
cūxīn	bù tóng		kāixīn	rènao
粗心	不同		开心	热闹
jiǎndān	xìxīn		ānjìng	wàixiàng
简单	细心		安静	外向

2. 用上面的形容词描述。Make sentences with the adjectives above.

Example：

Hànyǔ hěn róngyì.
（1）汉语 很 容易。

Māma hěn niánqīng.
（2）妈妈 很 年轻。

3. 朗读下列常用汉字，并组词。Read the common characters below and make words with them.  16-6

shēn	shāng	suàn	zhì	tuán	jí	bǎi	xū	jià	huā
深	商	算	质	团	集	百	需	价	花
dǎng	huá	chéng	shí	jí	zhěng	fǔ	lí	kuàng	yà
党	华	城	石	级	整	府	离	况	亚
qǐng	jì	jì	yuē	shì	fù	bìng	xī	jiū	xiàn
请	技	际	约	示	复	病	息	究	线
shì/sì	guān	huǒ	duàn	jīng	mǎn	zhī	shì	xiāo	yuè
似	官	火	断	精	满	支	视	消	越
qì	róng	zhào	xū	jiǔ	zēng	yán	xiě	chēng	qǐ
器	容	照	须	九	增	研	写	称	企

8 Communicative activities 交际活动

1. 跟同伴编一段介绍母亲水窖的对话。（8－10句）Work in pairs to make up a conversation about "Water Cellars for Mothers" in 8－10 sentences.

2. 说说你参加过的或知道的公益项目。Talk about a public welfare program you've taken part in or you know about.

Yuèguāngzú
月光族
The moonlight group

1 **Text** 课 文 借助生词表，快速浏览课文后回答问题：北京的"月光族"多吗? 17-1

Are there many people in Beijing "living from paycheck-to-paycheck"? Skim through the text with the help of the list of new words and then answer the question.

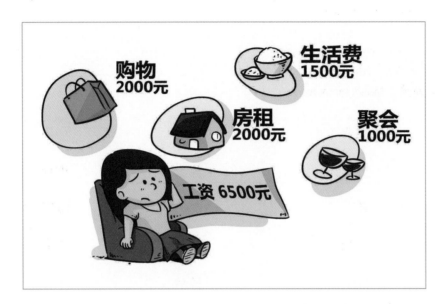

"Yuèguāngzú" jiù shì měi ge yuè de gōngzī jīběn
"月光族" 就是每个月的工资基本

huāguāng yì zú. Tāmen pǔbiàn rènwéi, qián, zhǐyǒu huā
花光 一族。他们普遍认为，钱，只有花

chūqu, cái shì zìjǐ de.
出去，才是自己的。

Lǐ xiǎojiě liǎng nián qián dàxué bìyè, yuè gōngzī
李小姐两年前大学毕业，月工资

shì liùqiān wǔbǎi yuán, gēn Běijīng de píngjūn gōngzī xiāngbǐ,
是 6500 元，跟北京的平均工资相比，

tā de gōngzī qíshí bú suàn dī. Dànshì měi ge yuè tā
她的工资其实不算低。但是每个月她

bùjǐn yào zhīfù fángzū、 shēnghuófèi, hái yào gòuwù、
不仅要支付房租、生活费，还要购物、

ǒu'ěr gēn péngyou jùhuì děng, qián zǒngshì bú gòu huā.
偶尔跟朋友聚会等，钱 总是不够花。

Lǐ xiǎojiě wúnài de shuō: "Měi dào yuèdǐ, wǒ
李小姐无奈地说："每到月底，我

jiù liǎng shǒu kōngkōng de pànwàngzhe xià ge yuè de gōngzī."
就两手 空空地盼望着下个月的工资。"

Xiànzài, zài Běijīng, zhèyàng de "yuèguāngzú"
现在，在北京，这样的"月光族"

dàyuē zhàn dàxué bìyèshēng de bǎifēn zhī sānshí.
大约占大学毕业生的 30%。

Answer the questions

回答问题

Shénme shì "yuèguāngzú"?
1. 什么 是"月光族"?

"Yuèguāngzú" bǎ qián huāguāng de lǐyóu shì shénme?
2. "月光族"把钱 花光 的理由是什么?

Lǐ xiǎojiě shì shénme shíhou bìyè de?
3. 李小姐是什么 时候毕业的?

Xiànzài Lǐ xiǎojiě měi ge yuè de gōngzī shì duōshao?
4. 现在李小姐每个月的工资是多少?

Lǐ xiǎojiě měi ge yuè de gōngzī dōu zuòle shénme?
5. 李小姐每个月的工资都做了什么?

Měi dào yuèdǐ, Lǐ xiǎojiě dōu zěnmeyàng?
6. 每到月底，李小姐都 怎么样?

Běijīng de "yuèguāngzú" zhàn dàxué bìyèshēng
7. 北京的"月光族"占大学毕业生

de bǎi fēn zhī duōshao?
的百分之多少?

2 New words 生词 🖸 17-2 ✎

1. 月光族	yuèguāngzú	n.	group of people who live from paycheck to paycheck	
一族	zú		class or group of things or people with common features	
2. 基本	jīběn	adv.	basically, in the main, on the whole	
3. 花	huā	v.	to spend, to expend	
4. 普遍	pǔbiàn	adj.	universal, general, common	
5. 其实	qíshí	adv.	actually, in fact	
6. 算	suàn	v.	to count as, to regard as, to consider	
7. 不仅	bùjǐn	conj.	not only	
8. 支付	zhīfù	v.	to pay (money)	

9. 生活费	shēnghuófèi	n.	living expenses, cost of living	
10. 偶尔	ǒu'ěr	adv.	occasionally, once in a while	
11. 够	gòu	v.	to be enough	
12. 无奈	wúnài	v.	cannot but, to have no choice but	
13. 月底	yuèdǐ	n.	end of a month	
14. 两手空空	liǎngshǒu kōngkōng		to have nothing in one's hands, to be left with nothing whatsoever	
15. 盼望	pànwàng	v.	to eagerly await, to look forward to	
16. 大约	dàyuē	adv.	about, approximately	
17. 毕业生	bìyèshēng	n.	graduate	

3 Notes 注释

1. 钱，只有花出去，才是自己的。

   The structure "只有X，才Y" (only if X, then Y) means that the result Y cannot be achieved without the condition X.

2. 但是每个月她不仅要支付房租、生活费，还要购物、偶尔跟朋友聚会等

   The structure "不仅X，还Y" (not only X, but also Y) indicates that both X and Y exist and that Y is a further supplement to X.

4 Text 复述课文

retelling

   "月光族"就是……。他们……，钱，只有……，才……。

   李小姐……，月工资是……，跟……相比，她的工资……。但是……不仅要支付……，还……、偶尔……等，钱总是……。

   李小姐……说："每到……，我就……地盼望着……。"

   现在，在北京，这样的……大约占……。

5 Text 译文

in English

The moonlight group refers to the group of people who spend almost every penny of their salary every month. They generally believe that one doesn't own the money until he spends it.

Miss Li graduated from college two years ago. Now she earns 6,500 *yuan* per month, which is not actually a low salary compared with the average situation in Beijing. However, she finds herself always short of money because every month, after paying the rent and other living expenses, she still has some shopping to do and one or two parties to go.

"At the end of every month, with no money left, I can do nothing but look forward to the next paycheck," Miss Li said frustratedly.

Today, the moonlight group accounts for about 30% of all college graduates in Beijing.

（一）只有X，才Y 🔘 17-3 ✏️

1. **朗读下列句子，画出X和Y。** Read the sentences aloud and underline the parts X and Y.

Qián, zhǐyǒu huā chūqu, cái shì zìjǐ de.
（1）钱，只有 <u>花出去</u>，才 <u>是自己的</u>。
　　　　　　　X　　　　　　Y

Zhǐyǒu bǎ xīnlihuà dōu shuō chūlai cái huì tòngkuai.
（2）只有把心里话都 说出来才会 痛快。

Zhǐyǒu shǎguā cái huì xiāngxìn tā shuō de huà.
（3）只有 傻瓜才会相信他说的话。

Zhǐyǒu gēn Zhōngguórén jiēchù, cái néng liǎojiě zhēnzhèng
（4）只有 跟 中国人接触，才能 了解 真正
de Zhōngguó.
的 中国。

Xié, zhǐyǒu chuānshàng shìshi, cái zhīdao shūfu bu shūfu.
（5）鞋，只有 穿上 试试，才知道舒服不舒服。

2. **用"只有X，才Y"组句，然后朗读。** Make sentences with "只有X，才Y" and then read the sentences aloud.

dàole xiàtiān zhè zhǒng shuǐguǒ huì yǒu
（1）到了 夏天 这种 水果 会 有
Zhǐyǒu dàole xiàtiān, cái huì yǒu zhè zhǒng shuǐguǒ.
只有 到了 夏天，才 会 有 这 种 水果。

nǐ qǐng tā lái
（2）你 请 他 来

duō tīng duō shuō néng duō xiě Zhōngwén xuéhǎo
（3）多听 多 说 能 多写 中文 学好

nǎinai kàn qīngchu dài yǎnjìng bàozhǐ
（4）奶奶 看 清楚 戴眼镜 报纸

Ānni lǐjiě néng wǒ de xiǎngfǎ
（5）安妮 理解 能 我的想法

（二）不仅X，还Y 🔘 17-4 ✏️

1. **朗读下列句子，画出X和Y。** Read the sentences aloud and underline the parts X and Y.

Měi ge yuè tā bùjǐn yào zhīfù fángzū, shēnghuófèi, hái yào gòuwù, ǒu'ěr gēn péngyou jùhuì děng.
（1）每个月她不仅<u>要支付房租、生活费</u>，还<u>要购物、偶尔跟 朋友聚会等</u>。
　　　　　　　　　X　　　　　　　　　　　　Y

Tā bùjǐn shì yí wèi yōuxiù de yǎnyuán, hái shì yí wèi chūsè de dǎoyǎn.
（2）她不仅是一位优秀的 演员，还是一位出色的导演。

Lǜsè zhíwù bùjǐn kěyǐ gǎishàn huánjìng, hái kěyǐ gǎishàn xīnqíng.
（3）绿色植物不仅可以改善 环境，还可以 改善 心情。

Wǒmen de chǎnpǐn bùjǐn zài Zhōngguó xiāoshòu, hái chūkǒu dào shìjiè gè dì.
（4）我们 的 产品不仅在 中国 销售，还出口 到世界各地。

Kàn yí ge rén, bùjǐn yào kàn tā zěnme shuō, hái yào kàn tā zěnme zuò.
（5）看一个人，不仅要 看他怎么说，还要看他怎么做。

2. **根据图片和提示词语，用"不仅X，还Y"完成句子，然后朗读。** Complete the sentences with "不仅X，还Y" based on the pictures and the cue words and phrases, and then read the sentences aloud.

Tā bùjǐn huì tán gāngqín, hái huì lā xiǎotíqín.
（1）她_____不仅会 弹 钢琴，还会 拉小提琴_____。（弹 钢琴 拉小提琴）
　　　　　　　　　　　　　　　　　　　　　　　　　　　tán gāngqín　lā xiǎotíqín

Xià bān yǐhòu, wǒ
（2）下班以后，我_____。（做饭 打扫房间）
　　　　　　　　　　　　　　　　　　　　　　zuò fàn　dǎsǎo fángjiān

Tǔlǔfān
（3）吐鲁番_____。（盛产 哈密瓜 葡萄）
　　　　　　　　　　　　　　　　　　　shèngchǎn hāmìguā pútao

Nàge chāoshì de cài
（4）那个超市的菜_____。（新鲜 便宜）
　　　　　　　　　　　　　　　　　　　　　xīnxian piányi

Kǒngzǐ Xuéyuàn
（5）孔子 学院_____。（教汉语 介绍 中国 文化）
　　　　　　　　　　　　　　　　　　　jiāo Hànyǔ jièshào Zhōngguó wénhuà

1. 心里话	xīnlihuà	n.	one's innermost thoughts and feelings	6. 优秀	yōuxiù	adj.	excellent, outstanding, fine
2. 痛快	tòngkuai	adj.	happy, delighted, joyful	7. 出色	chūsè	adj.	outstanding, remarkable
3. 傻瓜	shǎguā	n.	idiot, fool	8. 导演	dǎoyǎn	n.	director (of a show or movie, etc.)
4. 接触	jiēchù	v.	to come into contact with	9. 改善	gǎishàn	v.	to improve, to ameliorate
5. 真正	zhēnzhèng	adj.	real, true	10. 出口	chū kǒu	v.	to export

7 Vocabulary and Chinese characters 学习词汇和汉字

1. 朗读下列量词，然后分类。Read the measure words aloud and then categorize them.

	liàng	jīn	cì	tái	shǒu	biàn	mǔ	piàn	tàng
	a. 辆	b. 斤	c. 次	d. 台	e. 首	f. 遍	g. 亩	h. 片	i. 趟

	dī	cùn	fú	gōnglǐ	dùn	dūn	kē	huí	píngfāng gōnglǐ
	j. 滴	k. 寸	l. 幅	m. 公里	n. 顿	o. 吨	p. 棵	q. 回	r. 平方公里

（1）一_a_车 （2）一___电脑 （3）一___树 （4）一___绿叶 （5）一___画儿
    yí chē   yì diànnǎo   yì shù   yí lǜyè   yì huàr

（6）一___歌 （7）一___水 （8）一___饺子 （9）一___粮食 （10）一___水稻
    yì gē   yì shuǐ   yì jiǎozi   yì liángshi   yì shuǐdào

（11）每___土地 （12）走了一___路 （13）短了一___ （14）打三___电话
    měi tǔdì   zǒule yì lù   duǎnle yí   dǎ sān diànhuà

（15）去两___医院 （16）听过两___ （17）吃一___饭 （18）写四___生词
    qù liǎng yīyuàn   tīngguo liǎng   chī yí fàn   xiě sì shēngcí

  i. 辆_____

 ii. 斤_____

iii. 次_____

2. 用上面的量词组成词组，然后说句子。Make phrases with the measure words above and then use the phrases in sentences. Say the sentences out loud.

3. 下列汉字都包括两个相同的部件，根据汉字的结构特点给汉字分类。Every character below has a reduplicated component. Group the characters based on the characteristics of their structures.

	cóng	duō	mèng	pǐn	zhòng	lín	kū
	a. 从	b. 多	c. 梦	d. 品	e. 众	f. 林	g. 哭

	chǔ	péng	yì	zuò	yán	tì	shuāng
	h. 楚	i. 朋	j. 翼	k. 坐	l. 炎	m. 替	n. 双

（1）从 _____

（2）多 _____

（3）梦 _____

（4）品 _____

8 Communicative activities 交际活动

1. 跟同伴分别扮演记者和一位月光族，编一段8—10句的对话。Work in pairs to play a journalist and a person who lives from paycheck to paycheck. Make up a conversation with 8—10 sentences.

2. 说说你对月光族的看法。Talk about your opinion on the moonlight group.

Xìxīn

细心

The quality of being meticulous

借助生词表，快速浏览课文后回答问题：人民币的背面都是什么？ 18-1

What patterns are on the back of the RMB banknotes? Skim through the text with the help of the list of new words and then answer the question.

Qùnián wǒ qù yìngpìn yì jiā kuàguó gōngsī de kuàijì.
去年我去应聘一家跨国公司的会计。

Dì-yī lún miànshì hòu, zhǔkǎoguān gěi wǒ yì zhāng yìbǎi yuán
第一轮面试后，主考官给我一张 100 元

qián, ràng wǒ mǎi dì-èr lún kǎoshì yòng de ěrjī. Dàn wǒ
钱，让我买第二轮考试用的耳机。但我

fāxiàn shì jiǎbì, tāmen mǎshàng jiù huànle yì zhāng.
发现是假币，他们马上就换了一张。

Zuìhòu yí cì miànshì, zhǔkǎoguān wèn wǒ: "Nǐ
最后一次面试，主考官 问我："你

néng shuōshuo rénmínbì bèimiàn dōu shì shénme fēngjǐng ma?"
能 说说人民币背面都是什么风景吗？"

Wǒ shuō: "Yìbǎi yuán de bèimiàn shì Rénmín Dàhuìtáng, wǔshí
我说："100 元的背面是人民大会堂，50

yuán de shì Bùdálā Gōng, èrshí yuán de shì Guìlín shānshuǐ……"
元的是布达拉宫，20 元的是桂林山水……"

Zhǔkǎoguān mǎnyì de shuō: "Hěn hǎo! Duì kuàijì lái shuō,
主考官满意地说："很好！对会计来说，

xìxīn jiù shì zuì hǎo de nénglì!"
细心就是最好的能力！"

Jiù zhèyàng, wǒ shùnlì de tōngguòle miànshì, bèi
就这样，我顺利地通过了面试，被

zhèngshì lùyòng le.
正式 录用了。

Answer the questions

回答问题

"Wǒ" qùnián qù yìngpìn shénme zhíwèi?
1. "我"去年去应聘 什么职位？

Dì-yī lún miànshì hòu, zhǔkǎoguān ràng "wǒ" zuò shénme?
2. 第一轮面试后，主考官 让"我"做什么？

"Wǒ" fāxiànle shénme?
3. "我" 发现了什么？

Zuìhòu yí cì miànshì, zhǔkǎoguān wèn "wǒ" shénme wèntí?
4. 最后一次面试，主考官 问"我"什么问题？

Yìbǎi yuán rénmínbì de bèimiàn shì shénme fēngjǐng?
5. 100 元人民币的背面 是什么 风景？

Wǔshí yuán rénmínbì de bèimiàn shì shénme fēngjǐng?
50 元人民币的背面 是什么 风景？

Èrshí yuán rénmínbì de bèimiàn shì shénme fēngjǐng?
20 元人民币的背面 是什么 风景？

"Wǒ" bèi lùyòng le ma? Wèi shénme?
6. "我" 被录用了吗？ 为 什么？

2 New words 生词 🔵 18-2 ✏️

1. 去年	qùnián	n.	last year	8. 桂林山水	Guìlín shānshuǐ	landscape of Guilin
2. 跨国	kuàguó	v.	transnational, multinational	山水	shānshuǐ	n. mountains and waters, scenery
3. 会计	kuàijì	n.	accountant, bookkeeper	9. 细心	xìxīn	adj. careful, meticulous
4. 轮	lún	m.	(used for things or actions that rotate) round	10. 能力	nénglì	n. ability, capability
5. 主考官	zhǔkǎoguān	n.	chief examiner	11. 顺利	shùnlì	adj. smoothly, successfully
考官	kǎoguān	n.	examiner	12. 正式	zhèngshì	adj. formal, official
6. 假币	jiǎbì	n.	counterfeit banknote	13. 录用	lùyòng	v. to employ, to recruit
7. 背面	bèimiàn	n.	back, reverse side			

Proper nouns 专有名词

1. 人民大会堂　Rénmín Dàhuìtáng　Great Hall of the People
2. 布达拉宫　Bùdálā Gōng　Potala Palace
3. 桂林　Guìlín　Guilin, a city in Guangxi Province

3 Notes 注释

1. 你能说说人民币背面都是什么风景吗？

The adverb "都" (all) is used in an interrogative sentence to sum up what follows it.

2. 对会计来说，细心就是最好的能力！

The expression "对……来说" (to, for) means to view from a certain angle.

4 Text retelling 复述课文

　　去年我去应聘……。第一轮面试后，主考官……，让我……。但我发现……，他们……。

　　最后一次……，……问我："你能……？"我说："100元的背面是……，50元的是……，20元的是……"主考官……说："……！对……来说，……！"

　　就这样，我顺利地……，被……了。

5 Text in English 译文

　　Last year I applied for the position of accountant in a multinational corporation. After the first round interview, the chief interviewer gave me 100 *yuan*, asking me to buy a pair of earphones for the next round. When I found it was a counterfeit banknote, they took it back immediately and gave me another one.

　　During the final interview, the chief interviewer asked me "Can you tell me what sceneries are on the back of the RMB banknotes?" "On the back of the 100-*yuan* banknote is the Great Hall of the People, on the 50-*yuan* banknote is the Potala Palace, and on the 20-*yuan* banknote is the scenery of Guilin…" I was in full flow. The chief interviewer was contented and said: "Very good! For an accountant, being meticulous is the best quality."

　　That's how I passed the interview and got the job.

（一）都 18-3

1.朗读下列句子，画出"都"后面的疑问词。 Read the sentences aloud and underline the interrogatives after "都".

Nǐ néng shuōshuo rénmínbì bèimiàn dōu shì shénme fēngjǐng ma?
（1）你能 说说人民币背面都是<u>什么</u>风景吗？

Lái Zhōngguó yǐhòu, nǐ dōu qùguo nǎr?
（2）来 中国 以后，你都去过哪儿？

Zhè xuéqī de kèbiǎo dōu zēngjiāle nǎxiē kèchéng?
（3）这学期的课表都增加了哪些课程？

Jīntiān bàozhǐ shang dōu yǒu shénme xīnwén?
（4）今天报纸上 都有什么新闻？

Duì dāngqián de guójì xíngshì, nǐmen dōu
（5）对 当前 的国际形势，你们都

yǒu shénme kànfǎ?
有 什么看法？

2.把"都"放入句中正确的位置，然后朗读。 Put "都" in the right positions and then read the sentences aloud.

Zuótiān lái de kèren zhōng, nǐ rènshi shéi?
（1）昨天 _a_ 来的客人中， _b_ 你 ⓒ 认识 _d_ 谁？

Nǐ zhīdao Zhōngguó yǒu nǎxiē zhòngyào de chéngshì ma?
（2）你知道 _a_ 中国 _b_ 有哪些 _c_ 重要的城市 _d_ 吗？

Zhè jǐ tiān nǐ gěi shéi dǎguo diànhuà?
（3）这几天 _a_ 你 _b_ 给谁 _c_ 打过 _d_ 电话？

Nà jiā xīn kāi de shāngdiàn mài shénme dōngxi a?
（4）那家 _a_ 新开的 商店 _b_ 卖 _c_ 什么 _d_ 东西啊？

Nǐ gāngcái shuōle xiē shénme? wǒ méi tīng qīngchu.
（5）你 _a_ 刚才 _b_ 说了些什么？ _c_ 我没听 _d_ 清楚。

（二）对……来说 18-4

1.朗读下列句子，画出"对"和"来说"之间的词语。 Read the sentences aloud and underline the words and phrases between "对" and "来说".

Duì kuàijì lái shuō, xìxīn jiù shì zuì hǎo de nénglì!
（1）对<u>会计</u>来说，细心就是最好的能力！

Duì niánqīngrén lái shuō, duō dú diǎnr lìshǐ shū shì yǒu hǎochù de.
（2）对 年轻人 来说，多读点儿历史书是有 好处的。

Zuò zhè zhǒng shǒushù, duì yīshēng lái shuō, bìng bú shì shénme nánshì.
（3）做 这 种 手术，对 医生来说，并不是什么 难事。

Cānjiā zhè cì guójì huìyì, duì wǒ lái shuō, shì yí ge hěn hǎo de xuéxí jīhuì.
（4）参加这次国际会议，对我来说，是一个很好的学习机会。

Duì xuéxí yǔyán lái shuō, yǔyán zhīshi hěn zhòngyào, yǔyán yùnyòng nénglì gèng zhòngyào.
（5）对学习语言来说，语言知识很 重要，语言运用能力更 重要。

2.用"对……来说"组句，然后朗读。 Make sentences with "对……来说" and then read the sentences aloud.

zhè cì kǎoshì tā tài róngyì le
（1）这次考试 她 太容易了

Duì tā lái shuō, zhè cì kǎoshì tài róngyì le.
对她来说，这次考试太容易了。

zuì zhòngyào de měi ge rén shēntǐ jiànkāng
（2）最 重要的 每个人 身体 健康

dōu shì
都是

zhù zuì hǎo zài zhèli xǐhuan ānjìng de rén
（3）住 最好 在这里 喜欢安静的人

tīng yīnyuè yì zhǒng xiǎngshòu shì àihào yīnyuè de rén
（4）听音乐 一种 享受 是 爱好音乐的人

shì qùnián jiějie fēicháng mánglù de yì nián
（5）是 去年 姐姐 非常 忙碌的 一年

1. 课表	kèbiǎo	n.	school timetable, class schedule	7. 形势	xíngshì	n.	situation, circumstances	
2. 增加	zēngjiā	v.	to increase, to add	8. 好处	hǎochù	n.	benefit, advantage	
3. 课程	kèchéng	n.	course, curriculum	9. 难事	nánshì	n.	difficult matter, difficulty	
4. 新闻	xīnwén	n.	news	10. 会议	huìyì	n.	meeting, conference	
5. 当前	dāngqián	n.	present, current	11. 知识	zhīshi	n.	knowledge	
6. 国际	guójì	n.	international	12. 运用	yùnyòng	v.	to use, to utilize, to put into practice	

7 **Vocabulary and Chinese characters** 学习词汇和汉字

1. 朗读下列词语，然后为它们选择相应的图片。Read the phrases aloud and then put them beside the right pictures.

tiānlúnzhīlè
a. 天伦之乐

liǎngshǒu kōngkōng
b. 两手　空空

xiǎoxīn yìyì
c. 小心翼翼

yángguāng míngmèi
d. 阳光　明媚

fānxiāng dǎoguì
e. 翻箱　倒柜

luànqībāzāo
f. 乱七八糟

fèi jiǔ niú èr hǔ zhī lì
g. 费九牛二虎之力

2. 用上面的词语说句子。Say sentences with the phrases above.

Tā de fángjiān zǒngshì luànqībāzāo de.
Example：他的房间　总是乱七八糟的。

3. 朗读下列词语，然后根据"会"的意思给词语分类。Read the words aloud and then group them based on the meanings of "会".

jùhuì
a. 聚会

yíhuìr
b. 一会儿

wǎnhuì
c. 晚会

yuēhuì
d. 约会

kuàijì
e. 会计

yīnyuèhuì
f. 音乐会

yùndònghuì
g. 运动会

Àoyùnhuì
e. 奥运会

（1）一会儿

（2）约会

（3）音乐会 ＿＿＿＿＿ ＿＿＿＿＿ ＿＿＿＿＿ ＿＿＿＿＿

（4）会计

8 **Communicative activities** 交际活动

1. 跟同伴分别扮演主考官和应聘者，编一段8－10句的对话。Work in pairs to play the chief interviewer and the candidate. Make up a conversation with 8－10 sentences.

2. 说说你最想从事什么职业，你认为从事这个职业什么能力最重要。What job would you most like to do in the future? What quality do you think is the most important for the job?

Sīchóu zhī lù
丝绸之路
Silk Road

Text 课 文 借助生词表，快速浏览课文后回答问题：什么是丝绸之路？ 19-1

What is the Silk Road? Skim through the text with the help of the list of new words and then answer the question.

Sīchóu zhī lù shì gǔdài Zhōngguó hé xīfāng zhī
丝绸之路是古代中国和西方之
jiān de yì tiáo màoyì zhī lù. Tā dōng qǐ Zhōngguó de
间的一条贸易之路。它东起中国的
Xī'ān, jīngguò Zhōngyà, Xīyà, zuì yuǎn dào Fēizhōu
西安，经过中亚、西亚，最远到非洲
hé Ōuzhōu. Yīnwèi zhè tiáo màoyì zhī lù yùnsòngguo
和欧洲。因为这条贸易之路运送过
hěn duō sīchóu, yī bā qī qī nián, Déguórén Lǐxīhuòfēn
很多丝绸，1877 年，德国人李希霍芬
bǎ tā mìngmíng wéi "sīchóu zhī lù".
把它命名为"丝绸之路"。

Cóng Hàncháo yǐhòu, shìjiè gè dì de shāngrén
从汉朝以后，世界各地的商人
yánzhe zhè tiáo sīchóu zhī lù, láiláiwǎngwǎng, yùnsòng
沿着这条丝绸之路，来来往往，运送
gè zhǒng huòwù. Yóu cǐ, Zhōngguó de sīchóu, cháyè,
各种货物。由此，中国的丝绸、茶叶、
cíqì děng jīhū dōu shì tōngguò zhè tiáo lù chuándàole
瓷器等几乎都是通过这条路传到了
shìjiè gè dì, xīfāng de xǔduō wùpǐn yě chuándàole
世界各地，西方的许多物品也传到了
Zhōngguó.
中国。

Answer the questions

回答问题

Sīchóu zhī lù shì yì tiáo shénme lù?
1. 丝绸之路是一条什么路？

Sīchóu zhī lù qǐ yú nǎr? Jīngguò nǎxiē dìfang?
2. 丝绸之路起于哪儿？经过哪些地方？

Zuìhòu dàodá nǎxiē dìfang?
最后到达哪些地方？

Shéi bǎ zhè tiáo lù mìngmíng wéi "sīchóu zhī lù"?
3. 谁把这条路命名为"丝绸之路"？

Cóng Hàncháo yǐhòu, shìjiè gè dì de shāngrén zài
4. 从汉朝以后，世界各地的商人在

zhè tiáo lù shang zuò shénme?
这条路上做什么？

Zhōngguó de nǎxiē dōngxi tōngguò zhè tiáo lù chuándàole
5. 中国的哪些东西通过这条路传到了

shìjiè gè dì?
世界各地？

Tōngguò zhè tiáo lù xīfāng yǒu wùpǐn chuándàole
6. 通过这条路西方有物品传到了

Zhōngguó ma?
中国吗？

2 New words 生词 🔘 19-2 🖋

1. 丝绸之路 sīchóu zhī lù Silk Road, Silk Route

   丝绸 sīchóu n. silk

2. 西方 xīfāng n. the West, the Occident

3. 贸易 màoyì n. trade, commerce

4. 运送 yùnsòng v. to transport, to carry, to convey

5. 商人 shāngrén n. merchant, businessperson

6. 沿着 yánzhe along

7. 来来往往 láiláiwǎngwǎng to come and go

8. 货物 huòwù n. goods, commodity

9. 由此 yóu cǐ from this, as a result

10. 茶叶 cháyè n. tea (leaves)

11. 瓷器 cíqì n. porcelain, chinaware

12. 等 děng part. and so on

13. 几乎 jīhū adv. almost, nearly

14. 传 chuán v. to spread

15. 许多 xǔduō num. many, much

16. 物品 wùpǐn n. goods, article

Proper nouns 专有名词

1. 中亚 Zhōngyà Central Asia

2. 西亚 Xīyà Western Asia

3. 非洲 Fēizhōu Africa

4. 欧洲 Ōuzhōu Europe

5. 汉朝 Hàncháo Han Dynasty (206 B.C.–220 A.D.)

3 Notes 注释

1. 1877年，德国人李希霍芬把它命名为"丝绸之路"。

The structure "把 + X + v. + 为 + Y" means to turn X into Y through an action denoted by a verb.

2. 中国的丝绸、茶叶、瓷器等几乎都是通过这条路传到了世界各地

The adverb "几乎" means "basically" or "almost all".

4 Text retelling 复述课文

   丝绸之路是……之路。它东起……，经过……、……，最远到……。因为这条贸易之路……，1877年，德国人李希霍芬把……。

   从……以后，世界各地的商人……，来来往往，……。由此，中国的……、……、瓷器等几乎都是……传到了世界各地，西方的……也传到了中国。

5 Text in English 译文

   The Silk Road is a historical trade route between China and the West. It starts in Xi'an, China, passes through Central and Western Asia and keeps heading west until reaching Africa and Europe. The term "Silk Road" was coined in 1877 by the German traveler Ferdinand von Richthofen due to the existence of numerous deliveries of silk along the road.

   From the Han Dynasty onwards, businessmen from all over the world traveled on the Silk Road with various kinds of goods. Thanks to this road, China's silk, tea and porcelain were sold to other parts of the world, and many Western products were introduced to China.

（一）把 + X + v. + 为 + Y 19-3

1. 朗读下列句子，画出X和Y。Read the sentences aloud and underline the elements X and Y.

Yī bā qī qī nián, Déguórén Lǐxīhuòfēn
（1）1877 年，德国人李希霍芬

bǎ tā mìngmíng wéi "sīchóu zhī lù".
把它 命名 为 "丝绸之路"。
　　X　　　　　Y

Wèile biǎodá duì jiàoshī de zūnzhòng,
（2）为了 表达 对教师的 尊重，

Zhōngguó bǎ jiǔ yuè shí rì dìngwéi Jiàoshī Jié.
中国 把9月10日定为 教师节。

Zhōngguórén chángcháng bǎ qīzi huò zhàngfu chēngwéi "àiren".
（3）中国人 常常 把妻子或 丈夫 称为 "爱人"。

Wǒmen jīnglǐ jīngcháng shuō, yào bǎ gùkè shìwéi shàngdì.
（4）我们经理 经常 说，要把顾客视为上帝。

Bǎ diànnǎo píngmù gǎiwéi dànlǜsè duì yǎnjing bǐjiào hǎo.
（5）把电脑 屏幕 改为淡绿色对眼睛比较好。

2. 根据图片，选择合适的词语，用"把 + X + v. + 为 + Y"说句子。Choose proper words from the ones given to make sentences with "把 + X + v. + 为 + Y" based on the pictures.

　　dìng　　　gǎibiān　　　chēng　　gǎi　　dú
a. 定　　b. 改编　　c. 称　　d. 改　　e. 读

rénmen liù yuè wǔ rì Shìjiè Huánjìngrì
（1）人们 6月5日 世界环境日

Rénmen bǎ měi nián de liù yuè wǔ rì dìngwéi Shìjiè Huánjìngrì.
人们 把每年的6月5日定为世界环境日。

tā dǎsuàn zhè bù xiǎoshuō diànshìjù
（2）他 打算 这部 小说 电视剧

rénmen Yuán Lóngpíng "zájiāo shuǐdào zhī fù"
（3）人们 袁 隆平 "杂交水稻之父"

dàjiā dōu xīwàng měi zhōu gōngzuò wǔ tiān
（4）大家 都希望 每周 工作 五天

sì tiān
四天

Hànyǔ li yǒu de shíhou kěyǐ
（5）汉语里有的时候可以 "1（yī）"

bǐrú yāo yāo jiǔ
"yāo" 比如 119

（二）几乎 19-4

1. 朗读下列句子，画出"几乎"后面的动词。Read the sentences aloud and underline the verbs after "几乎".

Zhōngguó de sīchóu、 cháyè、 cíqì děng jīhū dōu
（1）中国 的丝绸、茶叶、瓷器等几乎都

shì tōngguò zhè tiáo lù chuándàole shìjiè gè dì.
是 通过 这条 路 传到了世界各地。

Ālǐ lái Zhōngguó liǎng ge yuè, jīhū pǎobiànle
（2）阿里来 中国 两个月，几乎跑遍了

bàn ge Zhōngguó.
半个 中国。

Zhè wèi gēxīng de yǎnchànghuì jīhū chǎngchǎng bàomǎn.
（3）这位 歌星的 演唱会几乎 场场 爆满。

Xiàndàirén de shēnghuó jīhū lí bu kāi shǒujī.
（4）现代人的 生活几乎离不开手机。

Tā jīhū chábiànle suǒyǒu de zīliào, cái zhǎodàole
（5）他几乎查遍了所有的资料，才找到了

xūyào de xìnxī.
需要的信息。

2. 组词成句，然后朗读。Rerrange the words and expressions to make sentences and then read them aloud.

jīhū wǒ de péngyoumen dōu huì dǎ pīngpāngqiú
（1）几乎 我的 朋友们 都会 打 乒乓球

Wǒ de péngyoumen jīhū dōu huì dǎ pīngpāngqiú.
我的 朋友们 几乎都会打乒乓球。

shìjiè de dà chéngshì Zhōngguó cānguǎnr dōu yǒu jīhū
（2）世界的大城市 中国 餐馆儿 都有 几乎

tāmen méiyǒu shí nián jīhū jiàn miàn
（3）他们 没有 十年 几乎 见 面

tā shuōhuà de shēngyīn jīhū tài xiǎo le
（4）他 说话的 声音 几乎 太小了

tīng bu jiàn wǒmen
听不见 我们

děngle yí ge xiǎoshí wǒ jīhū
（5）等了 一个小时 我 几乎

zhǔkǎoguān cái lái
主考官 才来

1. 定	dìng	v.	to decide, to fix, to make certain	
2. 爱人	àiren	n.	one's husband or wife	
3. 视	shì	v.	to regard, to treat	
4. 上帝	shàngdì	n.	God	
5. 屏幕	píngmù	n.	screen	
6. 改	gǎi	v.	to change, to alter	

7. 遍	biàn	v.	all over, everywhere	
8. 歌星	gēxīng	n.	singer, singing star	
9. 演唱会	yǎnchànghuì	n.	concert (for singing)	
10. 所有	suǒyǒu	n.	all	
11. 资料	zīliào	n.	data, material	

Proper noun 专有名词

教师节　Jiàoshī Jié　Teachers' Day

7 Vocabulary and Chinese characters 学习词汇和汉字

1. **朗读下列词语，然后把它们填到图中相应的位置。** Read the words aloud and then put them beside the right pictures.

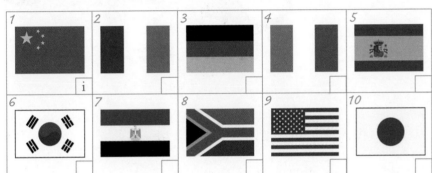

Nánfēi
a. 南非

Āijí
b. 埃及

Měiguó
c. 美国

Rìběn
d. 日本

Déguó
e. 德国

Hánguó
f. 韩国 (Republic of Korea)

Xībānyá
g. 西班牙

Fǎguó
h. 法国

Zhōngguó
i. 中国

Yìdàlì
j. 意大利

2. **说说你去过或了解的地方。** Talk about the places you've been to or you know well.

3. **写出下列词语的拼音并朗读，注意同一个汉字的不同发音。** Write down the *pinyin* of the words and read them aloud. Pay attention to the different pronunciations of the same character.

（1）a. 休假　b. 假日　c. 假如　d. 假币
　　　xiūjià

（2）a. 怎么了　b. 为了　c. 了解　d. 受不了

（3）a. 着急　b. 睡着　c. 随着　d. 沿着

8 Communicative activities 交际活动

1. **跟同伴编一段介绍丝绸之路的对话。（8－10句）** Work in pairs to make up a conversation about the Silk Road in 8－10 sentences.

2. **说说你们国家的文化习俗跟你所了解的中国文化习俗有什么差异。** Talk about the differences between the culture and customs in China and those in your own country.

Hànyǔ hé tángrénjiē
汉语和唐人街
Chinese language and Chinatowns

1 Text 课 文 借助生词表，快速浏览课文后回答问题：在国外，中国人都被称为什么人？ 20-1

Which terms are used overseas to call Chinese people? Skim through the text with the help of the list of new words and then answer the question.

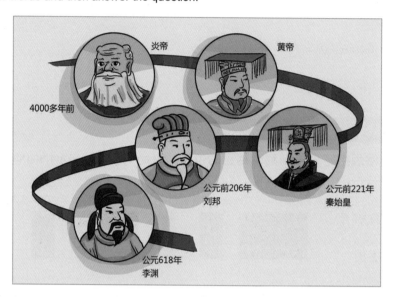

Zhōngguórén rènwéi, shēnghuó zài sìqiān duō nián
中国人 认为，生活 在4000多年

qián de Yándì hé Huángdì shì zìjǐ de zǔxiān, suǒyǐ
前的炎帝和黄帝是自己的祖先，所以

Zhōngguórén bǎ zìjǐ chēngwéi "Yán Huáng zǐsūn".
中国人 把自己 称为 "炎 黄 子孙"。

Yǒu rén rènwéi, Yīngyǔ de láizì
有人认为，英语的 "China" 来自

Chūnqiū Zhànguó shíqī "Qínguó" zhōng "Qín" de
春秋 战国时期 "秦国" 中 "秦"的

fāyīn. Gōngyuán qián èr èr yī nián, Qín Shǐhuáng tǒngyī
发音。公元 前 221 年，秦 始皇 统一

le guójiā jiànlìle Qíncháo.
了国家，建立了秦朝。

Gōngyuán qián èr líng liù nián, Liú Bāng jiànlìle
公元 前 206 年，刘邦 建立了

Hàncháo. Hàncháorén bèi chēngwéi "Hànrén", tāmen
汉朝。汉朝人被 称为 "汉人"，他们

suǒ shuō de yǔyán shì "Hànyǔ", suǒ xiě de wénzì
所说的语言是 "汉语"， 所写的文字

shì "Hànzì".
是 "汉字"。

Gōngyuán liù yī bā nián, Lǐ Yuān jiànlìle Tángcháo.
公元 618 年，李渊建立了唐朝。

Tángcháorén zìchēng "tángrén", yīncǐ, guówài
唐朝人 自称 "唐人"，因此，国外

Zhōngguórén jùjí de dìfang bèi chēngwéi "tángrénjiē".
中国人 聚集的地方被 称为 "唐人街"。

Answer the questions

回答问题

Zhōngguórén rènwéi shéi shì zìjǐ de zǔxiān?
1. 中国人 认为谁是自己的祖先？

Yándì hé Huángdì shì shénme shíhou de rén?
2. 炎帝和 黄帝是什么时候的人？

Zhōngguórén bǎ zìjǐ chēngwéi shénme?
3. 中国人 把自己称为 什么？

Yīngyǔ de shì zěnme lái de?
4. 英语的 "China" 是怎么来的？

Hànrén, Hànyǔ, Hànzì shì zěnme lái de?
5. 汉人、汉语、汉字是怎么来的？

Guówài Zhōngguórén jùjí de dìfang wèi shénme bèi chēngwéi
6. 国外 中国人聚集的地方为 什么 被 称为
"tángrénjiē"?
"唐人街"？

78

1. 祖先	zǔxiān	n.	ancestor	
2. 炎黄子孙	Yán Huáng zǐsūn		descendents of Emperor Yan and Emperor Huang, the Chinese nation	
子孙	zǐsūn	n.	descendents	
3. 来自	láizì	v.	to come from	
4. 时期	shíqī	n.	period, stage	
5. 发音	fāyīn	n.	pronunciation	
6. 公元	gōngyuán	n.	Christian era	
7. 统一	tǒngyī	v.	to unify	
8. 建立	jiànlì	v.	to build, to found	

9. 汉人	Hànrén	n.	the Han people, the Hans
10. 所	suǒ	part.	*used before a verb followed by a noun which is the receiver of the action*
11. 自称	zìchēng	v.	to call oneself, to claim to be
12. 唐人	tángrén	n.	the Tang people, Chinese people
13. 因此	yīncǐ	conj.	therefore, as a result
14. 国外	guówài	n.	overseas, abroad, foreign
15. 聚集	jùjí	v.	to gather, to assemble
16. 唐人街	tángrénjiē	n.	Chinatown

Proper nouns 专有名词

1. 炎帝	Yándì	Emperor Yan or Red Emperor, a legendary Chinese ruler
2. 黄帝	Huángdì	Emperor Huang or Yellow Emperor, a legendary Chinese ruler
3. 春秋	Chūnqiū	Spring and Autumn Period (770 B.C.–476 B.C.)
4. 战国	Zhànguó	Warring States Period (475 B.C.–221 B.C.)
5. 秦国	Qínguó	State of Qin

6. 秦始皇	Qín Shǐhuáng	Qin Shihuang (259 B.C.–210 B.C.), the first emperor of the Qin Dynasty
7. 秦朝	Qíncháo	Qin Dynasty (221 B.C.–206 B.C.)
8. 刘邦	Liú Bāng	Liu Bang (256 B.C.–195 B.C.), the first emperor of the Han Dynasty
9. 李渊	Lǐ Yuān	Li Yuan (566–635), the first emperor of the Tang Dynasty
10. 唐朝	Tángcháo	Tang Dynasty (618–907)

3 Notes 注释

1. 有人认为，英语的"China"来自春秋战国时期"秦国"中"秦"的发音。

The verb "来自" is followed by a noun indicating origin. It is usually used in written Chinese.

2. 他们所说的语言是"汉语"

"所" is a particle. The structure "所 + v. +的", just as "v. + 的", can be used to modify a noun or as a noun. For example, "所说的" = "说的" = "说的话" (what one says). This structure is usually used in written Chinese.

4 Text 复述课文
retelling

中国人认为，生活在……炎帝和黄帝是……，所以中国人把……"炎黄子孙"。

有人认为，英语的"China"……。公元前221年，秦始皇……。

公元前206年，刘邦……。汉朝人被……，他们所说的……，所写的……。

公元618年，李渊……。唐朝人……，因此，国外中国人……"唐人街"。

5 Text 译文
in English

Chinese people believe that Emperor Yan and Emperor Huang who lived more than 4,000 years ago are their ancestors, which is why they call themselves the "descendants of Yan and Huang".

Some believe that the English word "China" is a transliteration of "Qin", the name of a state during the Spring and Autumn Period and the Warring States Period. In 221 B.C., Emperor Qin Shihuang unified the states and founded the Qin Dynasty.

The Han Dynasty was founded in 206 B.C. by Liu Bang. People of the Han Dynasty were called the Han people. They spoke the "Han" language (Chinese) and wrote the "Han" characters (Chinese characters).

The Tang Dynasty was founded in 618 by Li Yuan. People of the Tang Dynasty called themselves the Tang people. Therefore, Chinatowns are known as "唐人街" in Chinese, literally "Tang People's Streets".

（一）来自 🔘 20-3 ✏️

1. 朗读下列句子，画出"来自"后面的词语。 Read the sentences aloud and underline the words or phrases after "来自".

Yǒu rén rènwéi, Yīngyǔ de　　　　láizì Chūnqiū Zhànguó shíqī　"Qínguó" zhōng "Qín"　de fāyīn.
（1）有人认为，英语的"China"来自春秋 战国时期"秦国"中 "秦" 的发音。

Wǒmen qiúduì shì ge xiǎo Liánhéguó,　duìyuán láizì Zhōngguó、Yīngguó、Měiguó děng guójiā.
（2）我们 球队是个小 联合国，队员来自中国、英国、美国 等 国家。

Hànyǔ li yǒu hěn duō cí lái zì wàiyǔ,　lìrú　"shāfā"　láizì Yīngyǔ de
（3）汉语里有 很多词来 自外语，例如"沙发"来自英语的"sofa"。

Yánjiū fāxiàn,　yí ge rén de xìnggé,　yǒu yí bàn láizì　fùmǔ.
（4）研究发现，一个人的性格，有一半来自父母。

Jīngyàn láizì shēnghuó.
（5）经验 来自生活。

2. 根据图片，选择合适的词语，用"来自"完成句子，然后朗读。 Complete the sentences with "来自" and the given words and phrases based on the pictures, and then read the sentences aloud.

Xīnjiāng Tǔlǔfān　　Měiguó　　Zhōngguó bàozhǐ　　shìjiè gè dì　　Ōuzhōu　　Yàzhōu
a. 新疆吐鲁番　b. 美国　c. 中国 报纸　d. 世界各地　e. 欧洲　f. 亚洲

Zhèxiē shuǐguǒ láizì Xīnjiāng Tǔlǔfān,　hǎo　chījí le.
（1）这些 水果来自新疆吐鲁番，好吃极了。

Cānjiā zhè cì　bǐsài de yùndòngyuán
（4）参加这次比赛的 运动员_____。

Jīnglǐ zhèngzài gēn yí wèi　　　de shāngrén tán shēngyi.
（2）经理正在 跟一位_____的 商人谈 生意。

Wǒmen bān de tóngxué yǒude
（5）我们 班的同学有的_____，

Zhèxiē tǒngjì shùzì
（3）这些统计数字_____。

yǒude
有的_____。

（二）所 + v. + 的 🔘 20-4 ✏️

1. 朗读下列句子，画出"所……的"中间的词语。 Read the sentences aloud and underline the words or phrases between "所" and "的".

Tāmen suǒ shuō de yǔyán shì　"Hànyǔ".
（1）他们 所 说 的语言是"汉语"。

Dàjiā dōu wèi jīnnián suǒ qǔdé de chéngjì gǎndào jiāo'ào.
（4）大家都为今年所取得的成绩 感到骄傲。

Zhè shì wǒ suǒ jīnglì de zuì hánlěng de dōngtiān.
（2）这 是我所经历的最寒冷的 冬天。

Wǒmen suǒ xīwàng de jiù shì néng bǎ Hànyǔ xuéhǎo.
（5）我们 所希望的就是 能 把汉语学好。

Měi ge rén dōu yīnggāi rè'ài　zìjǐ　suǒ cóngshì de zhíyè.
（3）每个人都 应该 热爱自己所从事的职业。

2. 选择合适的动词，用"所……的"完成句子，然后朗读。 Complete the sentences with "所……的" and the given verbs, and then read the sentences aloud.

kàndào　　shuōguo　　zǒuguo　　jiǎng　　rènshi
a. 看到　b. 说过　c. 走过　d. 讲　e. 认识

Bié wàngle nǐ　　　huà.
（1）别 忘了你　b　话。

shì shìjiè shang hǎibá zuì gāo de dànshuǐhú.
是世界上海拔最高的淡水湖。

Wǒ　　　lùshī dōu hěn máng.
（2）我_____律师都 很 忙。

Huíguò tóu lái kàn wǒmen　　　lù,　duōme bù róngyì a.
（4）回过 头来看我们_____路，多么不容易啊。

Nín xiànzài　　　hú jiào Cuònà Hú,
（3）您 现在_____湖叫 措那湖，

Zhè běn shū　　　nèiróng gěi wǒ　liúxiàle hěn shēn de yìnxiàng.
（5）这本书_____内容给我留下了很 深的印象。

Supplementary new words 扩展生词  20-5

1. 球队	qiúduì	n.	(ball game) team		
2. 队员	duìyuán	n.	team member		
3. 例如	lìrú	v.	for example		
4. 一半	yíbàn	num.	one half, half		
5. 经历	jīnglì	v.	to go through, to experience		

6. 寒冷	hánlěng	adj.	cold, frigid
7. 热爱	rè'ài	v.	to love heartily
8. 从事	cóngshì	v.	to be engaged in
9. 职业	zhíyè	n.	occupation, profession

Proper noun 专有名词

联合国　Liánhéguó　United Nations

7 Vocabulary and Chinese characters 学习词汇和汉字

1. 把下列人物填到他们所在的朝代。 Match the historical figures with the dynasties they lived in.

朝代 Dynasty	时间 Time	著名人物 Notability
夏朝	公元前 2070－前1600	
商朝	公元前 1600－前1046	
周朝	公元前 1046－前256	
秦朝	公元前 221－前206	
汉朝	公元前 206－公元220	
晋朝	公元 265－420	
南北朝	公元 420－589	
唐朝	公元 618－907	a. 李白
宋朝	公元 960－1279	
元朝	公元 1206－1368	
明朝	公元 1368－1644	
清朝	公元 1616－1911	

a. 李　白（701－762）
b. 王羲之（303－361）
c. 李　渊（566－635）
d. 秦始皇（前259－前210）
e. 刘　邦（前256－前195）
f. 孔　子（前551－前479）
g. 祖冲之（429－500）

2. 说说上面每个人所在的朝代。 Talk about which dynasty each of the above historical figures lived in.

3. 朗读下列常用汉字，并组词。 Read the common characters below and make words with them.  20-6

bā	gōng	ma	bāo	piàn	shǐ	wěi	hū	chá	qīng
八	功	吗	包	片	史	委	乎	查	轻

yì	zǎo	céng	chú	nóng	zhǎo	zhuāng	guǎng	xiǎn	ba
易	早	曾	除	农	找	装	广	显	吧

a	lǐ	biāo	tán	chī	tú	niàn	liù	yǐn	lì
阿	李	标	谈	吃	图	念	六	引	历

shǒu	yī	jú	tū	zhuān	fèi	hào	jǐn/jìn	lìng	zhōu
首	医	局	突	专	费	号	尽	另	周

jiào	zhù	yǔ	jǐn	kǎo	là/luò	qīng	suí	xuǎn	liè
较	注	语	仅	考	落	青	随	选	列

8 Communicative activities 交际活动

1. 跟同伴编一段介绍中国历史的对话。 （8－10句）Work in pairs to make up a conversation about Chinese history in 8－10 sentences.

2. 说说你学汉语的感受。 Describe your feeling about learning Chinese.

第 1 課 孔子

借助生詞表，快速瀏覽課文後回答問題：孔子有多少個學生？

孔子姓孔，名丘，是中國著名的思想家、教育家。"孔子"是人們對他的尊稱，"子"的意思是"有學問的人"。

孔子是中國第一位在民間開辦學校的人。他有三千多個學生，其中最有名的有72個。他提出了"有教無類""溫故知新"等教育思想。

由孔子的學生編纂的《論語》一書，記載了孔子主張的儒家思想。儒家思想對中國社會發展產生了深遠的影響。

第 2 課 手機短信

借助生詞表，快速瀏覽課文後回答問題：手機短信能做什麼？

據統計，在中國，人們平均每天發送3億多條手機短信。

手機短信有很多功能，比如一些當面不方便說的話，可以通過短信來說；擔心別人不方便接電話，可以通過短信告訴對方；節日裏，人們可以通過短信表達問候；另外，人們還常常通過互相轉發幽默短信，分享快樂。

在中國，手機短信越來越成為人們生活中重要的一部分。

第 3 課 空馬車

借助生詞表，快速瀏覽課文後回答問題：黑格爾跟父親討論什麼問題？

一天，陽光明媚，年輕的黑格爾陪父親在樹林中悠閒地散步。

走到一個幽靜的地方，父親問他："除了小鳥的叫聲以外，你還聽到了什麼？"

黑格爾說："我聽到了馬車的聲音。"

父親說："對，是一輛空馬車。"

黑格爾聽了很驚訝，他問："您沒看到，怎麼知道是空馬車呢？"

父親說："從聲音就能分辨出來，馬車越空，噪聲就越大。"

第 4 課 海洋館的廣告

借助生詞表，快速瀏覽課文後回答問題：海洋館有什麼變化？

王經理在內陸城市開了一家海洋館，可是由于門票太貴，參觀的人很少，眼看就要倒閉了。

王經理到處徵求好點子，想讓海洋館的生意好起來。

不久，一個女教師出現在王經理的辦公室，說她有一個好點子。

王經理按女教師的主意，登出了新廣告。一個月後，海洋館天天爆滿，三分之一是兒童，三分之二是家長。三個月後，海洋館開始贏利了。

海洋館的廣告只有六個字——"兒童參觀免費"。

第 5 課 筷子

借助生詞表，快速瀏覽課文後回答問題：中國人從什麼時候開始用筷子吃飯？

傳說，四千多年前，禹帶領人們治理黃河洪水。大家每天都緊張地工作，非常辛苦。

有一天，他們工作了很長時間，都餓極了，就煮肉吃。肉煮好了，因為很燙，不能用手拿着吃。

禹想出來一個好辦法，找來兩根小樹枝夾肉吃。大家都紛紛按照他的方法吃起肉來。用筷子吃肉，既方便又不燙手。

後來，人們逐漸開始用這種方法吃飯，筷子就這麼誕生了。

第 6 課　慢生活

借助生詞表，快速瀏覽課文後回答問題：什麼是慢生活？

現代人的生活節奏越來越快，于是，有人提出"慢生活"的理念。"慢生活"的意思是，生活不只是緊張的工作，還應該有放鬆的時間；不能只有快節奏，還需要慢節奏。比如，忙碌地工作了一段時間以後，抽空兒跟家人一起好好兒吃頓飯，聊聊天兒；或者逛逛書店，讀讀感興趣的書；或者泡杯茶，聽聽音樂……

"慢生活"是一種生活態度，它使你的生活更有趣、更豐富。

第 7 課　剪褲子

借助生詞表，快速瀏覽課文後回答問題：小東的褲子最後短了幾寸？

為了參加明天的畢業典禮，小東買了條新褲子。回家試了試，發現褲子長兩寸。晚飯的時候，小東說起這件事，大家都沒說話。

媽媽一直惦記着這件事，臨睡前悄悄地把褲子剪了兩寸。

半夜裏，姐姐在睡夢中猛然想起這件事，又把褲子剪了兩寸。

奶奶也一直惦記着孫子的褲子，第二天一大早就起來，把褲子又剪了兩寸。

結果，小東只好穿着短四寸的褲子去參加畢業典禮了。

第 8 課　吐魯番

借助生詞表，快速瀏覽課文後回答問題：吐魯番有什麼特別的地方？

新疆吐魯番夏天非常熱，所以被稱為"火洲"。最熱的時候，這裏沙土的表面溫度達到82℃！假如你把一個生雞蛋放進沙土裏，一會兒就能熟。春天和秋天，這裏白天和晚上溫差又特別大，所以流傳着這樣一句俗語："早穿皮襖午穿紗，圍着火爐吃西瓜。"

吐魯番盛產水果，尤其是葡萄和哈密瓜，又香又甜。所以每到夏天，當水果熟了的時候，各地的人們都喜歡來這裏旅游。

第 9 課　坐電梯

借助生詞表，快速瀏覽課文後回答問題："我"做了什麼事？

昨天下午自習後，我在圖書館等電梯的時候，來了一個男生和一個女生。

男生悄悄地對女生說："晚上我能請你喝杯咖啡嗎？"女生害羞地看了他一眼："除非你走樓梯比我先到8層，我才去。"

電梯來了，男生拔腿就往樓上跑。進了電梯，我默默地把2層到7層的電梯按鈕全摁了一遍。

坐到7層我就出來了，但是我一直沒敢回頭看那女生的眼神。出來後我心裏對那個男生說：學長只能幫你這些了！

第 10 課　有趣的諧音詞

借助生詞表，快速瀏覽課文後，舉例說明漢語的諧音詞。

漢語有很多諧音詞，它們的使用反映出一些有趣的中國文化現象。

比如春節的時候，中國人喜歡吃雞吃魚，因為"雞"和"吉"諧音，表示"吉利"，"魚"和"餘"諧音，表示"年年有餘"；家人和朋友之間不能分梨吃，因為"分梨"和"分離"諧音；送朋友禮物不能送鐘，因為"送鐘"和"送終"諧音；人們不喜歡有"4"的車牌和電話號碼，因為"4"和"死"諧音。

諧音詞的使用使漢語的表達豐富而有趣。

第 11 課 海豚和鯊魚

借助生詞表，快速瀏覽課文後回答問題：海豚做了什麼？

一位爸爸帶着女兒在海裏游泳，正游得高興，突然游過來幾條海豚。海豚把他們緊緊地圍在中間，不讓他們出去。

爸爸正覺得奇怪，突然看到一條大鯊魚朝他們游過來。他們發現，只要大鯊魚游過來，海豚們就用力地拍打水面，不讓它靠近。大鯊魚嘗試了好幾次都失敗了，最後只好失望地離開了。

等大鯊魚游得很遠了，這些可愛的海豚才讓爸爸和女兒游出去，并且一直跟在後面，把他們送到岸邊。

第 12 課 什麼也没做

借助生詞表，快速瀏覽課文後回答問題：妻子今天做什麼了？

丈夫下班回家，吃驚地發現，家裏實在太亂了！孩子們臉上、身上都很髒；地毯上堆滿了髒衣服。厨房裏，連碗都没有洗。

家裏究竟發生了什麼事？他急忙奔向卧室，看見妻子正悠閑地躺在床上翻相冊。

丈夫驚奇地問："今天家裏怎麼了？"妻子得意地回答說："你每天下班，總是問'今天你在家裏做了什麼'，現在你看到了，今天我什麼也没做。"

第 13 課 老年人的休閑生活

借助生詞表，快速瀏覽課文後回答問題：中國的老年人喜歡做什麼？

在中國，老年人的休閑方式豐富多彩。

早上，他們喜歡在公園裏活動，有的打太極拳，有的唱京劇，有的練書法。

白天，一些老人喜歡去老年大學學習繪畫、書法、攝影、戲曲等，還有一些老人經常圍在一起下象棋、打麻將。

晚上，很多老人在家裏一邊看電視，一邊和家人聊天兒，也有一部分老人去廣場跳舞。

周末，老人常常和兒孫們在一起，吃飯、逛公園、郊游，或者去看演出、聽相聲，享受天倫之樂。

第 14 課 青藏鐵路

借助生詞表，快速瀏覽課文後回答問題：在青藏鐵路的火車上可以看到什麼？

青藏鐵路是世界上最長、最高的鐵路，它東起青海西寧市，南到西藏拉薩市，長1956公里，最高的地方海拔5072米。

青藏鐵路沿線的風景非常漂亮。人們坐在火車上，可以看到美麗的玉珠峰，也可以看到世界上海拔最高的淡水湖——措那湖，要是幸運的話，甚至可以看到珍稀的藏羚羊。

青藏鐵路加强了西藏與其他省的交流，促進了西藏的發展。

第 15 課 地球一小時

借助生詞表，快速瀏覽課文後回答問題：地球一小時，人們都可以做什麼？

"地球一小時"，是2007年開始的一項全球性環境保護活動。

為了減少碳排放，世界自然基金會發起了這項活動，倡議人們在每年3月最後一個星期六晚上八點半到九點半，熄燈一個小時。

熄燈一小時，我們可以做什麼呢？

我們或者在家裏享受燭光晚餐；或者和孩子們一起游戲，度過親子時光；或者和朋友一起談心、講故事；我們還可以帶上食品、飲料到公園裏聚餐；或者出門散步……

朋友，你選擇做什麼呢？

第 16 課 母親水窖

借助生詞表，快速瀏覽課文後回答問題：什麼是"母親水窖"？

中國西部是世界上最乾旱的地方之一。這些年，這裏的男人大都去大城市打工了，家裏只剩下婦女勞動。為了取得生活用水，她們不得不每天走幾十公里山路，非常辛苦。

為了減輕婦女取水的負擔，2001年中國開始實施"母親水窖"工程。"母親水窖"就是在地下修建的水窖，收集雨水，供生活使用。

到2011年，"母親水窖"工程一共修建了12.8萬個水窖，解決了180萬人的生活用水問題。

第 17 課　月光族

借助生詞表，快速瀏覽課文後回答問題：北京的"月光族"多嗎？

"月光族"就是每個月的工資基本花光一族。他們普遍認為，錢，只有花出去，才是自己的。

李小姐兩年前大學畢業，月工資是6500元，跟北京的平均工資相比，她的工資其實不算低。但是每個月她不僅要支付房租、生活費，還要購物、偶爾跟朋友聚會等，錢總是不夠花。

李小姐無奈地說："每到月底，我就兩手空空地盼望着下個月的工資。"

現在，在北京，這樣的"月光族"大約占大學畢業生的30%。

第 18 課　細心

借助生詞表，快速瀏覽課文後回答問題：人民幣的背面都是什麼？

去年我去應聘一家跨國公司的會計。第一輪面試後，主考官給我一張100元錢，讓我買第二輪考試用的耳機。但我發現是假幣，他們馬上就換了一張。

最後一次面試，主考官問我："你能說說人民幣背面都是什麼風景嗎？"我

說："100元的背面是人民大會堂，50元的是布達拉宮，20元的是桂林山水……"主考官滿意地說："很好！對會計來說，細心就是最好的能力！"

就這樣，我順利地通過了面試，被正式錄用了。

第 19 課　絲綢之路

借助生詞表，快速瀏覽課文後回答問題：什麼是絲綢之路？

絲綢之路是古代中國和西方之間的一條貿易之路。它東起中國的西安，經過中亞、西亞，最遠到非洲和歐洲。因為這條貿易之路運送過很多絲綢，1877年，德國人李希霍芬把它命名為"絲綢之路"。

從漢朝以後，世界各地的商人沿着這條絲綢之路，來來往往，運送各種貨物。由此，中國的絲綢、茶葉、瓷器等幾乎都是通過這條路傳到了世界各地，西方的許多物品也傳到了中國。

第 20 課　漢語和唐人街

借助生詞表，快速瀏覽課文後回答問題：在國外，中國人都被稱爲什麼人？

中國人認為，生活在4000多年前的炎帝和黃帝是自己的祖先，所以中國人把自己稱為"炎黃子孫"。

有人認為，英語的"China"來自春秋戰國時期"秦國"中"秦"的發音。公元前221年，秦始皇統一了國家，建立了秦朝。

公元前206年，劉邦建立了漢朝。漢朝人被稱為"漢人"，他們所說的語言是"漢語"，所寫的文字是"漢字"。

公元618年，李淵建立了唐朝。唐朝人自稱"唐人"，因此，國外中國人聚集的地方被稱為"唐人街"。

简体 Simplified form	繁体 Complex form	拼音 *Pinyin*	词性 Word type	课号 Lesson	简体 Simplified form	繁体 Complex form	拼音 *Pinyin*	词性 Word type	课号 Lesson
A					不景气	不景氣	bù jǐngqì		2
爱	爱	ài	v.	6	不久	不久	bùjiǔ	adj.	4
爱人	愛人	àiren	n.	19	部分	部分	bùfen	n.	2
岸边	岸邊	ànbiān	n.	11	**C**				
按	按	àn	prep.	4	猜	猜	cāi	v.	5
按钮	按鈕	ànniǔ	n.	9	财富	財富	cáifù	n.	13
按照	按照	ànzhào	prep.	5	插	插	chā	v.	15
B					茶馆儿	茶館兒	cháguǎnr	n.	13
拔腿	拔腿	bá tuǐ	v.	9	茶叶	茶葉	cháyè	n.	19
白天	白天	báitiān	n.	8	尝试	嘗試	chángshì	v.	11
摆	擺	bǎi	v.	15	倡议	倡議	chàngyì	v.	15
拜年	拜年	bài nián	v.	13	朝	朝	cháo	prep.	11
办	辦	bàn	v.	15	车牌	車牌	chēpái	n.	10
办法	辦法	bànfǎ	n.	5	称	稱	chēng	v.	8
办签证	辦簽證	bàn qiānzhèng		15	称为	稱爲	chēngwéi		8
半夜	半夜	bànyè	n.	7	成为	成爲	chéngwéi	v.	2
保持	保持	bǎochí	v.	3	诚实	誠實	chéngshí	adj.	6
爆满	爆滿	bàomǎn	v.	4	吃惊	吃驚	chī jīng	v.	12
背包	背包	bēibāo	n.	12	充满	充滿	chōngmǎn	v.	7
北方	北方	běifāng	n.	16	抽空儿	抽空兒	chōu kòngr	v.	6
背面	背面	bèimiàn	n.	18	出口	出口	chū kǒu	v.	17
奔	奔	bēn	v.	12	出名	出名	chū míng	v.	10
奔向	奔向	bēnxiàng		12	出色	出色	chūsè	adj.	17
比分	比分	bǐfēn	n.	4	出现	出現	chūxiàn	v,	
比如	比如	bǐrú	v.	2	除非	除非	chúfēi	conj.	9
毕业典礼	畢業典禮	bìyè diǎnlǐ		7	除了……	除了……	chúle……		3
毕业生	畢業生	bìyèshēng	n.	17	以外	以外	yǐwài		
编纂	編纂	biānzuǎn	v.	1	传	傳	chuán	v.	19
变化	變化	biànhuà	v.	12	船	船	chuán	n.	14
遍	遍	biàn	v.	19	床	床	chuáng	n.	12
表达	表達	biǎodá	v.	2	瓷器	瓷器	cíqì	n.	19
别人	别人	biéren	pron.	2	辞	辭	cí	v.	7
并且	並且	bìngqiě	conj.	11	从事	從事	cóngshì	v.	20
不断	不斷	búduàn	adv.	12	促进	促進	cùjìn	v.	14
不得不	不得不	bù dé bù		16	寸	寸	cùn	m.	7
不仅	不僅	bùjǐn	conj.	17					

简体 Simplified form	繁体 Complex form	拼音 *Pinyin*	词性 Word type	课号 Lesson	简体 Simplified form	繁体 Complex form	拼音 *Pinyin*	词性 Word type	课号 Lesson
家长	家長	jiāzhǎng	n.	4	**K**				
假币	假幣	jiǎbì	n.	18	开	開	kāi	v.	4
假如	假如	jiǎrú	conj.	8	开办	開辦	kāibàn	v.	1
减轻	減輕	jiǎnqīng	v.	16	考官	考官	kǎoguān	n.	18
减少	減少	jiǎnshǎo	v.	15	考虑	考慮	kǎolù	v.	9
剪	剪	jiǎn	v.	7	靠	靠	kào	v,	3
建立	建立	jiànlì	v.	20	靠近	靠近	kàojìn	v.	11
交流	交流	jiāoliú	v.	1	可爱	可愛	kě'ài	adj.	11
郊游	郊游	jiāoyóu	v.	13	可靠	可靠	kěkào	adj.	6
骄傲	驕傲	jiāo'ào	adj.	10	课表	課表	kèbiǎo	n.	18
焦急	焦急	jiāojí	adj.	11	课程	課程	kèchéng	n.	18
叫声	叫聲	jiàoshēng	n.	3	空	空	kōng	adj.	3
教育	教育	jiàoyù	n.	1	空调	空調	kōngtiáo	n.	9
教育家	教育家	jiàoyùjiā	n.	1	跨国	跨國	kuàguó	n.	18
接触	接觸	jiēchù	v.	17	会计	會計	kuàijì	n.	18
节假日	節假日	jiéjiàrì	n.	16	困难	困難	kùnnan	adj.	2
节约	節約	jiéyuē	v.	7					
节奏	節奏	jiézòu	n.	6	**L**				
结果	結果	jiéguǒ	conj.	7	垃圾	垃圾	lājī	n.	16
今后	今後	jīnhòu	n.	2	来来往往	來來往往	láiláiwǎngwǎng		19
金子	金子	jīnzi	n.	11	来自	來自	láizì	v.	20
紧急	緊急	jǐnjí	adj.	8	劳动	勞動	láodòng	v.	16
紧紧	緊緊	jǐnjǐn		11	老年	老年	lǎonián	n.	13
进步	進步	jìnbù	v.	10	老年人	老年人	lǎoniánrén	n.	13
进口	進口	jìn kǒu	v.	16	冷静	冷静	lěngjìng	adj.	8
进入	進入	jìnrù	v.	9	梨	梨	lí	n.	10
经济	經濟	jīngjì	n.	2	理念	理念	lǐniàn	n.	6
经历	經歷	jīnglì	v.	20	例如	例如	lìrú	v.	20
经营	經營	jīngyíng	v.	2	联系	聯係	liánxì	v.	2
惊奇	驚奇	jīngqí	adj.	12	脸	臉	liǎn	n.	12
惊讶	驚訝	jīngyà	adj.	3	脸上	臉上	liǎnshang		12
究竟	究竟	jiūjìng	adv.	12	练	練	liàn	v.	13
举办	舉辦	jǔbàn	v.	1	恋爱	戀愛	liàn'ài	v.	8
据	據	jù	prep.	2	两手空空	兩手空空	liǎngshǒu kōngkōng		17
聚餐	聚餐	jù cān	v.	15					
聚集	聚集	jùjí	v.	20	临	臨	lín	prep.	7
决赛	決賽	juésài	n.	9	流传	流傳	liúchuán	v.	8

简体 Simplified form	繁体 Complex form	拼音 *Pinyin*	词性 Word type	课号 Lesson	简体 Simplified form	繁体 Complex form	拼音 *Pinyin*	词性 Word type	课号 Lesson
楼梯	樓梯	lóutī	n.	9	女性	女性	nǚxìng	n.	8
录用	錄用	lùyòng	v.	18	**O**				
轮	輪	lún	m.	18	偶尔	偶爾	ǒu'ěr	adv.	17
论文	論文	lùnwén	n.	4	**P**				
落后	落後	luòhòu	v.	10	怕	怕	pà	v.	14
M					拍	拍	pāi	v.	11
麻烦	麻煩	máfan	v.	16	拍打	拍打	pāidǎ	v.	11
麻将	麻將	májiàng	n.	13	排放	排放	páifàng	v.	15
马车	馬車	mǎchē	n.	3	盼望	盼望	pànwàng	v.	17
忙碌	忙碌	mánglù	adj.	6	跑	跑	pǎo	v.	9
贸易	貿易	màoyì	n.	19	泡	泡	pào	v.	6
美丽	美麗	měilì	adj.	10	陪	陪	péi	v.	3
猛然	猛然	měngrán	adv.	7	皮袄	皮襖	pí'ǎo	n.	8
谜语	謎語	míyǔ	n.	5	屏幕	屏幕	píngmù	n.	19
民间	民間	mínjiān	n.	1	普遍	普遍	pǔbiàn	adj.	17
名	名	míng	v.	1	**Q**				
明媚	明媚	míngmèi	adj.	3	期间	期間	qījiān	n.	13
默默	默默	mòmò	adv.	9	其实	其實	qíshí	adv.	17
母亲	母親	mǔqīn	n.	16	其他	其他	qítā	pron.	14
N					谦虚	謙虛	qiānxū	adj.	10
那里	那裏	nàli	pron.	12	签证	簽證	qiānzhèng	n.	15
男生	男生	nánshēng	n.	9	钱包	錢包	qiánbāo	n.	9
南方	南方	nánfāng	n.	4	悄悄	悄悄	qiāoqiāo	adv.	7
南极	南極	nánjí	n.	14	亲戚	親戚	qīnqi	n.	16
难办	難辦	nán bàn		16	亲子	親子	qīnzǐ	n.	15
难事	難事	nánshì	n.	18	球	球	qiú	n.	5
内陆	內陸	nèilù	n.	4	球队	球隊	qiúduì	n.	20
内向	內向	nèixiàng	adj.	13	取得	取得	qǔdé	v.	16
能力	能力	nénglì	n.	18	去年	去年	qùnián		18
年年有余	年年有餘	niánnián yǒu yú		10	全球	全球	quánqiú	n.	15
年长	年長	niánzhǎng	adj.	8	全球性	全球性	quánqiúxìng	adj.	15
鸟	鳥	niǎo	n.	3	**R**				
农村	農村	nóngcūn	n.	5	热爱	熱愛	rè'ài	v.	20
暖	暖	nuǎn	adj.	10	热情	熱情	rèqíng	adj.	10
女生	女生	nǚshēng	n.	9					

简体 Simplified form	繁体 Complex form	拼音 Pinyin	词性 Word type	课号 Lesson	简体 Simplified form	繁体 Complex form	拼音 Pinyin	词性 Word type	课号 Lesson
所	所	suǒ	part.	20	温故知新	温故知新	wēn gù zhī xīn		1
所有	所有	suǒyǒu	n.	19	温暖	温暖	wēnnuǎn	adj.	10
T					问候	問候	wènhòu	v.	2
他人	他人	tārén	pron.	9	无奈	無奈	wúnài	v.	17
台风	臺風	táifēng	n.	14	一午	一午	wǔ		8
谈	談	tán	v.	9	物品	物品	wùpǐn	n.	19
谈心	談心	tán xīn	v.	15	**X**				
碳	碳	tàn	n.	15	西部	西部	xībù	n.	16
碳排放	碳排放	tàn páifàng		15	西餐	西餐	xīcān	n.	15
唐人	唐人	tángrén	n.	20	西方	西方	xīfāng	n.	19
唐人街	唐人街	tángrénjiē	n.	20	熄灯	熄燈	xī dēng	v.	15
烫	燙	tàng	adj./v.	5	习俗	習俗	xísú	n.	6
特别	特别	tèbié	adv.	8	洗衣机	洗衣機	xǐyījī	n.	3
提出	提出	tíchū		1	戏曲	戲曲	xìqǔ	n.	13
提醒	提醒	tí xǐng	v.	14	细心	細心	xìxīn	adj.	18
替	替	tì	prep.	14	下	下	xià	v.	13
天亮	天亮	tiān liàng	v.	4	先	先	xiān	adv.	9
天伦之乐	天倫之樂	tiānlúnzhīlè		13	现代	現代	xiàndài	n.	6
填	填	tián	v.	15	现代人	現代人	xiàndàirén	n.	6
铁路	鐵路	tiělù	n.	14	现象	現象	xiànxiàng	n.	10
通过	通過	tōngguò	prep.	2	相遇	相遇	xiāngyù	v.	12
同意	同意	tóngyì	v.	13	想法	想法	xiǎngfǎ	n.	5
统计	統計	tǒngjì	n.	2	项	項	xiàng	m.	15
统一	統一	tǒngyī	v.	20	相册	相册	xiàngcè	n.	12
痛快	痛快	tòngkuai	adj.	17	象棋	象棋	xiàngqí	n.	13
W					小学	小學	xiǎoxué	n.	5
外地	外地	wàidì	n.	7	谐音	諧音	xiéyīn	v.	10
外企	外企	wàiqǐ	n.	9	谐音词	諧音詞	xiéyīncí	n.	10
外向	外向	wàixiàng	adj.	13	心里话	心裏話	xīnlihuà	n.	17
晚餐	晚餐	wǎncān	n.	15	心情	心情	xīnqíng	n.	6
晚点	晚點	wǎn diǎn	v.	16	心态	心態	xīntài	n,	3
网球	網球	wǎngqiú	n.	3	新闻	新聞	xīnwén	n.	18
网站	網站	wǎngzhàn	n.	1	信息	信息	xìnxī	n.	2
为	爲	wéi	v.	8	形势	形勢	xíngshì	n.	18
为了	爲了	wèile	prep.	7	幸运	幸運	xìngyùn	adj.	14
					休闲	休閑	xiūxián	v.	13

简体 Simplified form	繁体 Complex form	拼音 *Pinyin*	词性 Word type	课号 Lesson	简体 Simplified form	繁体 Complex form	拼音 *Pinyin*	词性 Word type	课号 Lesson
修建	修建	xiūjiàn	v.	16	游	游	yóu	v.	11
许多	許多	xǔduō	num.	19	友好	友好	yǒuhǎo	adj.	10
选择	選擇	xuǎnzé	v.	15	有教无类	有教無類	yǒu jiào wú lèi		1
学问	學問	xuéwen	n.	1	有趣	有趣	yǒuqù	adj.	6
学长	學長	xuézhǎng	n.	9	有些	有些	yǒuxiē	pron.	13
Y					余	餘	yú	v.	10
压力	壓力	yālì	n.	6	鱼	魚	yú	n.	10
炎黄子孙	炎黃子孫	Yán Huáng zǐsūn		20	与	與	yǔ	prep.	14
沿线	沿綫	yánxiàn	n.	14	雨水	雨水	yǔshuǐ	n.	16
沿着	沿着	yánzhe		19	郁闷	鬱悶	yùmèn	adj.	1
眼	眼	yǎn	n.	9	月饼	月餅	yuèbing	n.	3
眼看	眼看	yǎnkàn	adv.	4	月底	月底	yuèdǐ	n.	17
眼神	眼神	yǎnshén	n.	9	月光族	月光族	yuèguāngzú	n.	17
演唱会	演唱會	yǎnchànghuì	n.	19	越……	越……	yuè……		3
阳光	陽光	yángguāng	n.	3	越……	越……	yuè……		
阳光明媚	陽光明媚	yángguāng míngmèi		3	越来越	越來越	yuèláiyuè		2
样子	樣子	yàngzi	n.	8	运送	運送	yùnsòng	v.	19
要是	要是	yàoshi	conj.	14	运用	運用	yùnyòng	v.	18
一半	一半	yíbàn	num.	20	**Z**				
一大早	一大早	yídàzǎo		7	藏羚羊	藏羚羊	zànglíngyáng	n.	14
一边……	一邊……	yìbiān……		13	噪声	噪聲	zàoshēng	n.	3
一边……	一邊……	yìbiān……			增加	增加	zēngjiā	v.	18
义工	義工	yìgōng	n.	11	招聘	招聘	zhāopìn	v.	9
因此	因此	yīncǐ	conj.	20	招手	招手	zhāo shǒu	v.	11
音节	音節	yīnjié	n.	15	照顾	照顧	zhàogù	v.	7
赢利	贏利	yínglì	v.	4	珍稀	珍稀	zhēnxī	adj.	14
拥挤	擁擠	yōngjǐ	adj.	2	真正	真正	zhēnzhèng	adj.	17
用力	用力	yòng lì	v.	11	征求	徵求	zhēngqiú	v.	4
优秀	優秀	yōuxiù	adj.	17	正式	正式	zhèngshì	adj.	18
幽静	幽静	yōujìng	adj.	3	政府	政府	zhèngfǔ	n.	2
悠闲	悠閑	yōuxián	adj.	3	支付	支付	zhīfù	v.	17
由	由	yóu	prep.	1	知识	知識	zhīshi	n.	18
由此	由此	yóu cǐ		19	职业	職業	zhíyè	n.	20
由于	由于	yóuyú	prep.	4	植物	植物	zhíwù	n.	4
油	油	yóu	n.	4	治理	治理	zhìlǐ	v.	5
					中餐	中餐	zhōngcān	n.	15

简体 Simplified form	繁体 Complex form	拼音 *Pinyin*	词性 Word type	课号 Lesson	简体 Simplified form	繁体 Complex form	拼音 *Pinyin*	词性 Word type	课号 Lesson
钟	鐘	zhōng	n.	10	资料	資料	zīliào	n.	19
逐渐	逐漸	zhújiàn	adv.	5	子孙	子孫	zǐsūn	n.	20
烛光	燭光	zhúguāng	n.	15	自称	自稱	zìchēng	v.	20
主考官	主考官	zhǔkǎoguān	n.	18	自习	自習	zìxí	v.	9
主张	主張	zhǔzhāng	v.	1	一族	一族	zú		17
煮	煮	zhǔ	v.	5	祖先	祖先	zǔxiān	n.	20
专辑	專輯	zhuānjí	n.	4	尊称	尊稱	zūnchēng	n.	1
转发	轉發	zhuǎnfā	v.	2	尊重	尊重	zūnzhòng	v.	6
着想	着想	zhuóxiǎng	v.	9	做主	做主	zuò zhǔ	v.	1

简体 Simplified form	繁体 Complex form	拼音 Pinyin	课号 Lesson	简体 Simplified form	繁体 Complex form	拼音 Pinyin	课号 Lesson
A				《论语》	《論語》	Lúnyǔ	1
阿拉伯	阿拉伯	Ālābó	8	**O**			
奥运会	奥運會	Àoyùnhuì	1	欧洲	歐洲	Ōuzhōu	19
B				**Q**			
布达拉宫	布達拉宮	Bùdálā Gōng	18	秦朝	秦朝	Qíncháo	20
C				秦国	秦國	Qínguó	20
春秋	春秋	Chūnqiū	20	秦始皇	秦始皇	Qín Shǐhuáng	20
措那湖	措那湖	Cuònà Hú	14	青藏	青藏	Qīngzàng	14
D				青海	青海	Qīnghǎi	14
战国	战国	Zhànguó	20	**R**			
F				人民大会堂	人民大會堂	Rénmín Dàhuìtáng	18
非洲	非洲	Fēizhōu	19	儒家	儒家	Rújiā	1
G				**S**			
桂林	桂林	Guìlín	18	世界自然 基金会	世界自然 基金會	Shìjiè Zìrán Jījīnhuì	15
H				**T**			
汉朝	漢朝	Hàncháo	19	唐朝	唐朝	Tángcháo	20
黑格尔	黑格爾	Hēigé'ěr	3	吐鲁番	吐鲁番	Tǔlǔfān	8
黄帝	黃帝	Huángdì	20	**X**			
J				西湖	西湖	Xī Hú	11
教师节	教師節	Jiàoshī Jié	19	西宁市	西寧市	Xīníng Shì	14
K				西亚	西亞	Xīyà	19
孔丘	孔丘	Kǒng Qiū	1	西藏	西藏	Xīzàng	14
孔子	孔子	Kǒngzǐ	1	新疆	新疆	Xīnjiāng	8
L				**Y**			
拉萨市	拉薩市	Lāsà Shì	14	炎帝	炎帝	Yándì	20
老舍	老捨	Lǎoshě	13	禹	禹	Yǔ	5
老舍茶馆儿	老捨茶館兒	Lǎoshě Cháguǎnr	13	玉珠峰	玉珠峰	Yùzhū Fēng	14
李渊	李淵	Lǐ Yuān	20	**Z**			
联合国	聯合國	Liánhéguó	20	中亚	中亞	Zhōngyà	19
刘邦	劉邦	Liú Bāng	20				

图书在版编目(CIP)数据

新概念汉语课本.4/崔永华主编. —— 北京：北京语言
大学出版社，2013.8（2015.7 重印）
ISBN 978-7-5619-3567-5

Ⅰ.①新… Ⅱ.①崔… Ⅲ.①汉语－对外汉语教学－
教材 Ⅳ.①H195.4

中国版本图书馆CIP数据核字(2013)第192113号

北京语言大学出版社
BEIJING LANGUAGE AND CULTURE
UNIVERSITY PRESS

- -

书　　名：**新概念汉语 课本4**（XIN GAINIAN HANYU　KEBEN 4）
艺术总监：张　静　　装帧设计：[美] Mila Ryk
排版制作：北京鑫联必升文化发展有限公司　　插图绘制：刘　谱
中文编辑：唐琪佳
英文编辑：侯晓娟
责任印制：姜正周

出版发行：北京语言大学出版社
社　　址：北京市海淀区学院路15号　　邮政编码：100083
网　　址：www.blcup.com
编 辑 部：8610-8230 3647/3592/3395
海外发行：8610-8230 0309/3651/3080
读者服务部：8610-8230 3653/3908
网上订购：8610-8230 3668　service@blcup.com
印　　刷：北京联兴盛业印刷股份有限公司
经　　销：全国新华书店
版　　次：2013年9月第1版　2015年7月第2次印刷
开　　本：889mm x 1194mm　1/16　印张：7
字　　数：241千字
书　　号：ISBN 978-7-5619-3567-5/H·13143
　　　　　05800

Printed in China